Denise
Gaouette

en collaboration avec
Bernadette Renaud

en tête

LIVRE
DE
LECTURE **B**

ERPI
ÉDITIONS
RENOUVEAU
PÉDAGOGIQUE INC.

5757, RUE CYPIHOT
SAINT-LAURENT (QUÉBEC) H4S 1X4
TÉLÉPHONE : (514) 334-2690
TÉLÉCOPIEUR : (514) 334-4720

Nous tenons à remercier pour leurs textes les auteurs suivants:

Ginette Anfousse, p. 101-103
Hélène Boucher, p. 56-57
Linda Brousseau, p. 17-19
Dominique Demers, p. 82-85
Jacinthe Dostie, p. 116
Conrad Huard, p. 94-95
Suzanne Pinel, p. 16, 25, 71, 109
Bernadette Renaud, p. 12-13, 26-27, 34-35, 48-49,
  50-52, 59-61, 68-69, 70, 72-73, 78-79, 91-93, 96, 97,
  110-113, 114-115, 117-119, 122, 123-134
Robert Soulières, p. 37-39
Jocelyne Slythe-Tardif, p. 28-29, 76-77
Gilles Tibo, p. 100

Révision linguistique

Ginette Choinière
Nicole Côté

Conception graphique, infographie et réalisation technique

Miller Graphistes Conseils inc.

Couverture

Le groupe Flexidée
Illustration : Marisol Sarrazin

Les éléments de sécurité routière présentés dans ce livre de lecture ont été approuvés par la Société de l'assurance automobile du Québec.

Dépôt légal: 2ᵉ semestre 1993
Bibliothèque nationale du Québec
Bibliothèque nationale du Canada

Imprimé au Canada   3456789 HLN 05432109
ISBN 2-7613-0909-X   12010 ABCD   M12

Rappelle-toi la démarche à suivre pour lire !

1 Je dis dans mes mots :
- la question qu'on me pose ;
- l'activité qu'on me demande de faire.

2 Je lis le titre et les sous-titres.

3 Je regarde les illustrations.

4 Je pense à ce que je connais.

5 Je lis le texte
pour vérifier si j'ai bien deviné.

J'utilise les cinq clés :

mot connu   mot déguisé

mot deviné   partie de mot

tous les mots

6 Je réponds à la question

ou

je fais l'activité.

Lire, c'est avoir des images en tête.

Table des

Vroum ! vroum ! Je me déplace.

Une nouvelle élève bien rebelle _____ 2

Une classe de neige excitante ! _____ 5

Le village des bonshommes de neige _____ 8

Des amis inuit _____ 10

Les aventures de SUPERLUX

Attention, danger ! _____ 12

J'ai rêvé... _____ 14

Printemps, été, automne, hiver... _____ 16

La maladresse de Champion _____ 17

révision _____ 20

Brrr ! brrr ! Mains froides, coeur chaud

Un ami mystérieux _____ 22

La musique de ton coeur _____ 25

Je t'aime ! Le sais-tu ? _____ 26

Des coeurs partout ! _____ 28

Lancer des boules de neige _____ 30

Deux excursions magnifiques _____ 32

Les aventures de SUPERLUX

Vive l'hiver ! _____ 34

J'ai un beau château... _____ 36

Un amour de concierge _____ 37

révision _____ 40

matières

Tss - tss !
Un peu d'ordre, s'il vous plaît !

La jungle dans la cuisine _____ 42

Aider ses parents à la maison : pour ou contre ? _____ 46

Si tu as de bonnes manières avec moi, j'aurai de bonnes manières avec toi. _____ 48

Les aventures de **SUPERLUX**

Le grand ménage _____ 50

Un projet écologique _____ 53

Des drôles de poissons _____ 56

Poisson d'avril ! _____ 58

Inès, la petite sirène _____ 59

révision _____ 62

Dring ! dring !
Le printemps se réveille.

L'anniversaire des jumeaux _____ 64

Veux-tu m'adopter ? _____ 67

Mon ami **Pomme** _____ 68

Un animal vivant ou un animal en peluche ? _____ 70

Un concert amusant _____ 71

Des animaux météo _____ 72

Des bruits dans la maison _____ 74

Bobine de fil et robot _____ 76

Les aventures de **SUPERLUX**

Des solutions simples _____ 78

Des oeufs rigolos _____ 80

Mon voisin l'ogre _____ 82

révision _____ 86

Bzziii ! bzziii !
Vivre dans la nature

Promenade
sur deux roues _____ 88

Les aventures de SUPERLUX

Plaisir
sur deux roues _____ 91

Imagine un peu... _____ 94

Des plantes suspectes _ 96

La nature
dans les noms
des rues _____ 97

Mon espace magique _ 98

Simon
et le soleil d'été _____ 100

Ma grand-maman
Proulx _____ 101

révision _____ 104

Croâ ! croâ !...
Meuh ! meuh !...
Les amis de mon été

Do Ming fête papa _____ 106

Drôles d'animaux ♪ _____ 109

Mes amies les bêtes _____ 110

Quels animaux
verras-tu cet été ? _____ 114

Des cris par-ci,
des cris par-là... ♪ _____ 116

Les aventures de SUPERLUX

Un cadeau
encombrant _____ 117

Bonnes vacances ! _____ 120

Au revoir, Superlux ! _____ 122

Le chat a disparu _____ 123

Vroum ! vroum !
Je me déplace.

Une nouvelle élève arrive dans la classe de Mathieu.
Lis le texte pour savoir ce que Mathieu ressent
face à la nouvelle élève.

Une nouvelle élève bien rebelle

Les vacances de Noël sont terminées.
Ce matin, c'est le retour à l'école.
Mais tout va mal pour Mathieu.
D'abord, il ne trouve plus
ses nouvelles lunettes.
Ensuite, il part seul pour l'école :
Marie-Philippe a attrapé un vilain rhume.
Puis il grelotte en attendant l'autobus.
Et pour finir, dans l'autobus,
une fille est assise à **sa** place.

À l'école, une surprise attend Mathieu.
Il y a une nouvelle élève
dans son équipe de travail.
Elle s'appelle Raphaëlle.
C'est la fille qui était assise
à **sa** place dans l'autobus.
Mathieu essaie de lui parler.
Raphaëlle ne répond pas.
Elle grogne et cache son visage
dans ses cheveux châtains.
Raphaëlle fait des grimaces à Mathieu.
Mathieu est malheureux. Il n'aime pas la chicane.

2

À la récréation, Esther parle à Mathieu :
— Raphaëlle a déménagé chez son père
  pendant les vacances de Noël.
  Elle s'ennuie peut-être de sa mère,
  de son frère, de ses copains, de son chat...
  Essaie d'être patient avec elle.
  Ce n'est pas facile de changer d'école.

Pendant la journée, Mathieu essaie
d'apprivoiser Raphaëlle.
Il lui sourit.
Il lui écrit des petits messages.
Il lui offre ses crayons de couleur.
Il lui offre de partager sa collation.
Il lui parle gentiment.
Raphaëlle continue de grogner
et de faire des grimaces.
Mathieu est découragé.

3

La classe est terminée.
Mathieu monte dans l'autobus.
Raphaëlle est encore assise à **sa** place.
Quand Mathieu passe près de Raphaëlle,
elle lui fait un petit sourire.
Elle murmure :
— Mathieu, veux-tu t'asseoir à côté de moi ?
Mathieu est surpris. Il est content.
Il a touché le coeur de Raphaëlle.
Il s'est peut-être fait une nouvelle amie.
Raphaëlle sourira peut-être à Marie-Philippe
demain...

1 • *Dis ce qui rend Mathieu malheureux.*

2 • *Dis ce que tu penses du comportement de Mathieu.*

Lis les mots soulignés.
Ces mots indiquent l'ordre des événements.

Ricardo est allé en classe de neige avec les élèves de sa classe. Lis le texte pour savoir ce que les élèves ont fait en classe de neige.

Une classe de neige excitante!

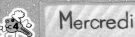

Mercredi

Youpi!

Quelle excitation!

Départ pour la classe de neige

Salut!

Bienvenue!

Inspection des lieux par les petits curieux

Vite! vite!

Agitation dans le dortoir

Qui couchera en haut?

Qui couchera en bas?

Miam! miam!

Quel délicieux repas!

Merci aux cuisiniers!

Équipe des Harfangs des neiges

Bravo !

Voici de vrais champions et de vraies championnes !

Équipe des Coyotes

Super !

Voici des illustrations fantaisistes !

Équipe des Ours polaires

Chut !

Voici des scientifiques attentifs !

Ohé ! ohé !

Venez avec nous !

Départ pour le pique-nique en forêt

Hélas ! Il faut choisir : glisser sur les pentes
ou faire de la raquette dans les sentiers.

Zut ! C'est la fin de la classe de neige !
Salutations aux moniteurs et aux monitrices !

1 • Raconte ce que les élèves ont fait en classe de neige.

2 • Fais la liste des mots qui contiennent les graphies
ion , **ien** , **ieu** et **ier** .

Lis les mots soulignés.
Ces mots servent à exprimer des émotions
ou des sentiments.

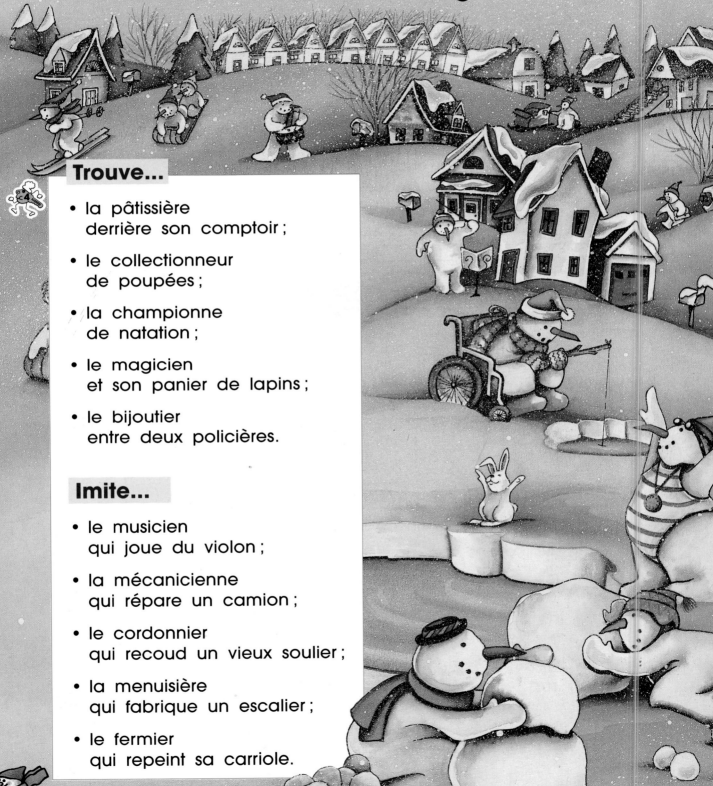

Voici un village fantaisiste.
Lis le texte pour trouver ou imiter
les bonshommes de neige décrits.

Le village des bonshommes de neige

Trouve...

- la pâtissière
  derrière son comptoir ;

- le collectionneur
  de poupées ;

- la championne
  de natation ;

- le magicien
  et son panier de lapins ;

- le bijoutier
  entre deux policières.

Imite...

- le musicien
  qui joue du violon ;

- la mécanicienne
  qui répare un camion ;

- le cordonnier
  qui recoud un vieux soulier ;

- la menuisière
  qui fabrique un escalier ;

- le fermier
  qui repeint sa carriole.

Décris un bonhomme de neige qui n'est pas présenté dans le texte.

Lis les mots suivants :
- le bijoutier
- le cordonnier
- la pâtissière
- la menuisière

9

*Les jumeaux ont posé des questions à leurs correspondants.
Lis les lettres que les jumeaux ont reçues
pour connaître les réponses à leurs questions.*

Des amis inuit

Kangiqsualujjuaq, le 15 janvier

Bonjour Mathieu,

Tu veux savoir si je vis dans un igloo.
Non, j'habite une maison.
Mais, il y a très longtemps,
le grand-père de mon père
vivait dans un igloo.

J'ai déjà vu un igloo.
Un igloo, c'est fait avec des blocs
de neige. Sur le dessus de l'igloo,
il y a une ouverture
pour laisser entrer l'air à l'intérieur.
Les lits sont faits de neige.
Ils sont recouverts de peaux de caribou.
On place un bloc de neige
devant la porte
pour que le froid n'entre pas dans l'igloo.
On fait un feu à l'intérieur de l'igloo,
pour cuire les aliments
et pour avoir chaud.

Dépêche-toi de m'écrire.
Envoie-moi ta photo.

Julianna

Kangiqsualujjuaq, le 15 janvier

Bonjour Marie-Philippe,

Tu veux savoir si je me déplace
en traîneau à chiens.
Non, mes parents ont une motoneige.
On se sert de la motoneige
pour se déplacer et pour aller chasser.
La motoneige va plus vite
que les chiens.

Il y a longtemps, mon grand-père utilisait
un traîneau à chiens pour aller chasser.
Son traîneau était en bois.
Huit chiens tiraient le traîneau.
L'attelage des chiens était fait
de peaux de phoque.
Maintenant, il y a seulement
un traîneau à chiens
dans mon village.

J'ai hâte de recevoir ta lettre
et ta photo.

Silas

1 • *Écris les questions que Mathieu et Marie-Philippe
ont posées à leurs correspondants.*

2 • *Écris des questions que tu aimerais poser
à Julianna ou à Silas.*

Lis les groupes de mots soulignés.
Quelles informations te donnent ces groupes de mots ?

Bonjour ! Je suis Superlux ! J'aide les enfants à penser.

Marion est déçue.

Il neige trop, c'est certain. Adieu le patin avec mes copains.

C'est défendu dans la maison, mais je vais faire attention.

Yahououou !

Youpiiiiie ! C'est super !

uperlux voit d'avance e qui pourrait arriver.

Faire de la planche à roulettes dans la maison...

... ce n'est pas une bonne idée !

Mais je peux bricoler sans danger.

J'ai rêvé

J'ai rêvé que j'étais scaphandrière.
Je portais un costume semblable
au costume de pompier de papa.
Je marchais au fond de la mer
et je posais des questions aux poissons.
Je faisais partie d'une expédition
qui avait une mission très spéciale :
prouver que le monstre des mers
existe vraiment. J'avais un peu peur.
J'étais certaine que le monstre
n'était pas loin !

J'ai rêvé que je conduisais
une énorme souffleuse à neige.
Je nettoyais les rues de ma ville.
Je ramassais la neige sans la souffler.
Ensuite, je m'envolais vers un pays
où il ne pleut jamais.
Et je soufflais tout doucement la neige
pour rafraîchir les enfants de ce pays.

14

J'ai rêvé que j'étais astronaute.
Je voyageais à bord
d'un vaisseau spatial extraordinaire.
Je naviguais parmi les planètes.
Gabrielle était avec moi.
Elle n'avait plus de vertiges.
Nous marchions ensemble
sur les planètes.
Je ramassais des cailloux
pour la collection de grand-maman.

J'ai rêvé que je conduisais
un hélicoptère magique.
Je voyageais à la vitesse de la lumière.
Chaque jour, été comme hiver,
je me déplaçais de la maison de papa
à la maison de maman.
Mon copilote était mon chat, Fantôme.
J'étais follement heureuse.

Dis ce que tu penses des rêves des enfants.
Est-ce que ces rêves peuvent se réaliser?

Lis les mots soulignés.
Ces mots sont des verbes déguisés.
Quels verbes se cachent sous ce déguisement?

Voici une chanson composée par Suzanne Pinel.
Lis les paroles de la chanson.
Essaie d'apprendre cette chanson par coeur.

Printemps, été, automne, hiver...

Refrain

Printemps, été, automne, hiver...
Je peux choisir de quelle manière
je voudrais me déplacer
pour me promener ou bien m'amuser.

1   Quand l'été est <u>arrivé</u>,
il faut sortir sa <u>bicyclette</u>,
ses patins à roulettes
ou bien sa planche à <u>roulettes</u>.
Il faut chausser ses espadrilles,
choisir son bâton de baseball
afin de pratiquer son sport <u>préféré</u>.

2   Quand l'hiver est enneigé,
il faut sortir son traîneau,
ses skis, ses raquettes,
ses bottes à l'épreuve de l'eau.
Il faut chausser ses patins,
choisir son bâton de hockey
afin de pratiquer son sport préféré.

1 • *Dis ce que tu penses de cette chanson.*

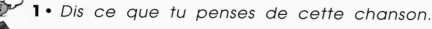
2 • *Copie le couplet que tu préfères et illustre-le.*

Lis à voix haute les mots
qui sont soulignés de la même couleur.
Que remarques-tu ?

La maladresse de Champion

Je ne pourrai jamais être un chien-guide. Jamais.
C'est Denis, mon entraîneur à l'école de dressage,
qui me l'a dit :
— Tu es trop gourmand, Champion.
   Un chien-guide doit résister
   à toutes les tentations
   quand il est en mission.

Les oreilles rabattues,
le museau entre les pattes,
j'ai beaucoup pleuré. Beaucoup.
J'aurais tellement voulu être un chien-guide.

C'est hier que tout s'est décidé.
J'accompagnais Mariou qui est aveugle.
Denis, lui, nous suivait derrière. Pas trop loin.
Soudain, Denis m'a appelé.
Il m'a tendu un biscuit pour me distraire.
J'ai hésité, bien sûr. Mais pas longtemps.
C'était un biscuit au chocolat. C'est ma sorte préférée.

Comme un écervelé, j'ai laissé Mariou sur le coin de la rue.

Seule. En plein mois de janvier.

Avec ses yeux qui ne voient rien à rien.

J'ai tout de suite regretté mon étourderie.

Je me suis retourné et j'ai aperçu Mariou.

Elle marchait en comptant ses pas pour se repérer :

> Un et deux et trois,
> je suis chez Claudia Comtois.
> Quatre et cinq et six,
> chez Marie-Lyne et Patrice.

J'ai couru pour rattraper Mariou.
Mais Denis l'avait déjà rejointe et la guidait.
Denis était déçu. À cause de moi,
Mariou aurait pu buter contre un obstacle.
Elle aurait pu tomber, se blesser, se faire très mal.

Je ne pourrai jamais être un chien-guide. Jamais.
Je suis trop étourdi. Mais je me console.
Je suis un très bon chien de compagnie.
C'est Denis qui me l'a dit.
Tellement que ses amis ont décidé de m'adopter.
Et j'aurai tout plein de biscuits au chocolat.
Ça, ils me l'ont garanti !

révision

Qui a fait cette tache?

Qui a fait cette tache?
Le détective Cyprien mène l'enquête.
Réponds aux trois questions
du détective Cyprien
à l'aide des textes de Gina et de Gino.

Comment était le suspect?

Avec qui était le suspect?

Quel est le métier du suspect?

Rappelle-toi !

Description du suspect par Gina

Il avait les yeux violets.
Il portait un vieux chandail
taché de peinture.
Il parlait avec un électricien
et une plombière.

pommier

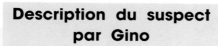

Mathieu   *chien*

Description du suspect par Gino

Il avait le nez pointu
et un vilain bouton sur le menton.
Il tenait un pinceau.
Il était sur un chantier
de construction.

main   *ceinture*

poing   *avion*

✏ *Dessine le portrait-robot du suspect.*

20

Brrr ! brrr !
Mains froides, coeur chaud

Un ami mystérieux

Depuis quelque temps, Camille remarque
plusieurs changements chez sa grand-maman.
Flavie sourit pour un rien.
Elle rentre plus tard après ses cours du soir.
Elle a changé de coiffure et de rouge à lèvres.
Elle porte une drôle de bague à son doigt.
Elle fredonne des chansons d'amour à Kiwi.
Elle donne même de la lasagne à Quatre-Sous.

Camille en arrive à la conclusion suivante :

Grand-maman est en amour.

22

Camille est curieuse. Elle voudrait bien savoir
qui est l'amoureux de sa grand-maman.
Camille lit en cachette la carte
que Flavie a reçue pour la Saint-Valentin.
Mais le valentin de Flavie n'a pas signé son nom.
Il a composé une charade.

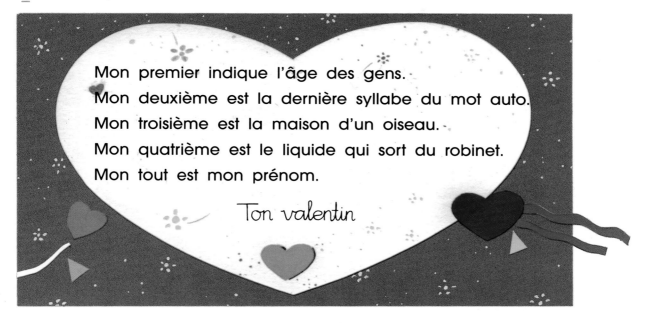

Mon premier indique l'âge des gens.
Mon deuxième est la dernière syllabe du mot auto.
Mon troisième est la maison d'un oiseau.
Mon quatrième est le liquide qui sort du robinet.
Mon tout est mon prénom.

Ton valentin

Camille n'arrive pas à deviner qui est le valentin de Flavie.
Elle propose aux jumeaux de mener une enquête.

Pendant une semaine, les trois complices
espionnent leur grand-maman.
Ils s'amusent à suivre Flavie le plus souvent possible.
Ils examinent les traces de pas près de son logement.
Ils mesurent ces traces.
Ils font flairer ces traces par Pollus.

Aujourd'hui, les trois détectives tiennent une réunion secrète.
La sonnerie de la porte interrompt leur discussion.
C'est Antonio, le facteur. Il apporte un colis.
Il a besoin d'une signature.
— Oh! oh! s'exclame Camille en souriant.

Après le départ d'Antonio, c'est l'agitation générale.
Les jumeaux s'empressent d'aller mesurer
les nouvelles empreintes dans la neige.
Camille court chercher la carte de la Saint-Valentin.
Elle revient toute excitée et dit:
— J'ai déchiffré la charade!
Les trois détectives sont très contents.
Ils ont découvert qui est l'ami mystérieux
de leur grand-maman.

1• *Dis quel est le secret de Flavie.*

2• *Fais la liste des indices qui ont permis*
de découvrir le secret de Flavie.

Lis les mots soulignés.
Indique quelle personne chaque mot remplace.

Voici une chanson composée par Suzanne Pinel.
Lis les paroles de la chanson.
Essaie d'apprendre cette chanson par coeur.

La musique de ton coeur

Refrain

Vas-y ! Vas-y !
Écoute-la ! Écoute-la !
La musique, la musique de ton coeur.
Vas-y ! Vas-y !
Chante-la ! Chante-la !
C'est la musique,
c'est la musique du bonheur.

1 J'entends le vent dans les arbres.
J'entends le chant du ruisseau,
le clapotis de la pluie,
le gazouillis de l'oiseau.

2 J'entends le *blip* du robot
et le *vroum* du moteur.
Mais, pour moi, ce qu'il y a de plus beau,
c'est la voix de ton petit coeur.

3 Quand tu cours, quand tu dors,
quand tu ris, quand tu pleures,
il y a toujours une musique
là, au fond de ton coeur.

4 Si tous les gens de la terre
s'arrêtaient en grand silence,
on n'entendrait qu'une musique :
le battement de tous les coeurs.

1• *Dis ce que tu penses de cette chanson.*
2• *Copie le couplet que tu préfères et illustre-le.*

Lis à voix haute les mots qui sont soulignés de la même couleur. Que remarques-tu ?

*Voici des messages
pour la Saint-Valentin.
Lis les messages pour connaître
différentes façons d'exprimer son amour.*

Je t'aime ! Le sais-tu ?

Tu lis
mes poèmes.
Tu devines
mes secrets.

Je t'appelle Rhinocéros.
Tu m'appelles Kangourou.
Je ris. Tu rigoles.
Tu es ma meilleure amie.

IO TI AMO

Je t'aime

EU AMO-TE

愛してる

Ľúbim ťa

মুই তোমাকে ভালোবাসি

I love you

Szeretlek

Ich liebe dich

J'ai trouvé un coeur en chocolat
sur mon oreiller.
Coucou !
J'ai glissé un beau coeur
dans la poche de ton manteau.

Ton Je t'aime
me chatouille
le coeur.

Je t'aime.
Tu m'aimes.
Tu me donnes le goût
d'avoir beaucoup d'amis.

Tu me fais un clin d'oeil d'amour
avec les phares de ton auto.

 Dis quel message tu préfères.

Des coeurs partout !

Laurent et les jumeaux ont préparé
une fête pour la Saint-Valentin.
La cuisine est toute décorée.
Il y a des coeurs partout...

Démarche pour faire un anneau de serviette

1. <u>Trace</u> des lignes sur le papier de bricolage.

   Utilise la largeur de ta règle.

2. <u>Découpe</u> chaque bande de papier.

3. Plie une bande de papier en deux.

   C'est la pointe du coeur.

4. Ramène les deux bouts de la bande de papier vers l'intérieur.

   Le coeur est formé.

5. <u>Colle</u> les deux bouts de la bande de papier avec du ruban adhésif.

   L'anneau de serviette est formé.

   Glisse une serviette de table roulée dans l'anneau de serviette.

Serais-tu capable de faire des décorations à 3 coeurs ?

Serais-tu capable de faire des décorations à 4 coeurs ?

Fais la liste du matériel nécessaire pour fabriquer l'anneau de serviette.

 Lis les mots soulignés. Ces mots indiquent des actions à faire.

C'est le Festival de la neige à l'école de Maxime.
Lis le texte pour connaître l'activité proposée
par la directrice de l'école.

Lancer des boules de neige

Aujourd'hui, c'est le Festival de la neige.
Maxime a hâte d'arriver à l'école.
Il lit la liste des activités.

- **Glisser avec Louka, le surveillant des repas.**
- **Skier avec madame Plante, une enseignante.**
- **Faire de la raquette avec monsieur També, le brigadier.**
- **Patiner avec Marie-Serge, la concierge.**
- **Faire des bonshommes de neige avec Vincent, un suppléant.**
- **Lancer des boules de neige avec Béatrice, la directrice.**

Lancer des boules de neige?
Maxime est étonné.
La semaine dernière, Béatrice l'a grondé.
Il avait lancé une boule de neige
sur l'autobus d'écoliers.
Maxime a dû s'excuser
auprès de madame Régimbald,
la conductrice.
Ensuite, il a dû fabriquer
une affiche pour l'école.
Est-ce que Béatrice
aurait changé d'avis?

Maxime attend avec impatience
la dernière activité.

Enfin le moment est arrivé !
Près d'un mur de l'école, cinq seaux sont alignés.
Un peu plus loin, cinq piles de boules de neige
ont été préparées.
Béatrice explique l'activité :
« Cinq élèves lancent des boules de neige dans les seaux.
 Le premier élève qui remplit son seau gagne la compétition. »
Maxime est fou de joie.

Béatrice observe Maxime et sourit.
Maxime sourit lui aussi.

 1• *Dis ce que tu penses de l'idée de la directrice.*

2• *Compose une fin à l'histoire.*

Lis les mots suivants :
• monsieur També   • il remplit
• madame Régimbald   • la compétition

Deux excursions magnifiques

Imagine que tu es le gagnant ou la gagnante
d'un grand concours d'orthographe.
Comme prix, tu as le choix entre deux excursions.
Quelle excursion choisirais-tu ?

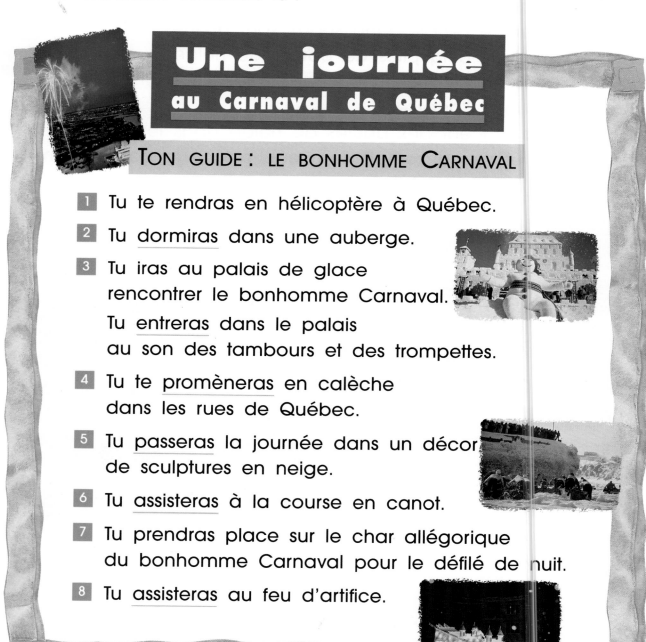

Une journée
au Carnaval de Québec

TON GUIDE : LE BONHOMME CARNAVAL

1. Tu te rendras en hélicoptère à Québec.

2. Tu dormiras dans une auberge.

3. Tu iras au palais de glace
   rencontrer le bonhomme Carnaval.

   Tu entreras dans le palais
   au son des tambours et des trompettes.

4. Tu te promèneras en calèche
   dans les rues de Québec.

5. Tu passeras la journée dans un décor
   de sculptures en neige.

6. Tu assisteras à la course en canot.

7. Tu prendras place sur le char allégorique
   du bonhomme Carnaval pour le défilé de nuit.

8. Tu assisteras au feu d'artifice.

UNE JOURNÉE AU PAYS DES BLANCHONS

Un blanchon, c'est un bébé phoque.

Ton guide : un spécialiste des blanchons

1 Tu te rendras en avion aux îles de la Madeleine.

2 Tu dormiras dans une auberge.

3 Tu partiras de l'auberge en hélicoptère le lendemain matin.

4 Tu atterriras sur une des banquises qui entourent les îles.

5 Tu passeras la matinée sur cet immense champ de glace parmi les phoques et leurs blanchons.

6 Tu photographieras les blanchons et tu pourras les caresser.

Tu pourras poser à ton guide toutes les questions que tu voudras.

7 Tu visiteras les îles de la Madeleine tout l'après-midi.

8 Tu regarderas un film sur les blanchons.

1 • Dis quelle excursion tu préfères et pourquoi.

2 • Illustre les activités que tu aimerais faire.

Lis les mots soulignés.
Ces mots sont des verbes déguisés.
Quels verbes se cachent sous ce déguisement ?

Bonjour !
Je suis Superlux !
J'aide les enfants
à penser.

Tamara tremble de colère.

Non, je ne porterai pas de tuque !

Tamara n'a pas voulu comprendre.
Elle a fait à sa tête.

Superlux voit d'avance ce qui pourrait arriver.

Attendez-moi !
Je reviens !

Tamara a compris.

L'hiver,
il faut porter une tuque
pour ne pas s'enrhumer.

Bonjour !
Je suis Superlux !
J'aide les enfants
à penser.

Guillaume et Tommy s'amusent.

Viens, Guillaume !
Grimpe !

Tommy ! Tommy !
Regarde-moi.
Je descends
vite !

Superlux voit d'avance
ce qui pourrait arriver.

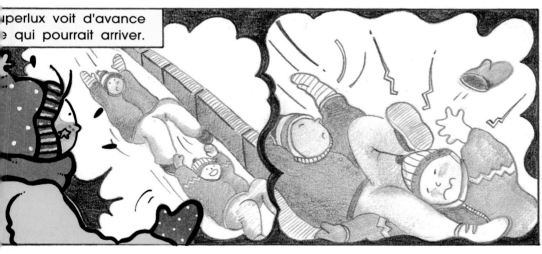

Guillaume voit son ami Tommy.
Il attend avant de glisser.

Je suis capable
de m'amuser
et de penser
en même temps.

35

Voici deux châteaux.
Lis le texte pour savoir
comment construire un château de glace.

J'ai un beau château...

As-tu déjà construit un château de sable ?
Un château de glace se construit un peu de la même façon.

Voici comment construire un château de glace.

1. <u>Choisis</u> des contenants en plastique
   de formes différentes.

2. <u>Remplis</u> les contenants d'eau froide.

3. <u>Ajoute</u> quelques gouttes de colorant alimentaire.

4. <u>Place</u> les contenants dehors toute une nuit.

   Choisis une nuit bien froide
   pour que l'eau gèle.

Le lendemain

5. <u>Tape</u> la neige pour faire la base de ton château.

6. <u>Trempe</u> les contenants de glace
   dans un seau d'eau chaude pour démouler les formes.

7. <u>Assemble</u> les formes au gré de ta fantaisie.

8. <u>Décore</u> ton château.

 Fais la liste du matériel nécessaire
pour construire un château de glace.

 Lis les mots soulignés.
Ces mots indiquent les actions à faire.

Voici une histoire composée par Robert Soulières.

Un amour de concierge

C'est l'hiver. Il fait froid. Il est huit heures trente.
Les enfants sont contents d'entrer dans l'école
pour se réchauffer un peu.
— Regarde, dit Adam tout étonné,
   j'ai un coeur sur mon casier.
— Moi aussi, dit Marie-Catherine.

Il y a un petit coeur sur chacun des casiers:
280 petits coeurs en tout!
— Je me demande bien qui a fait tout ça, dit Tiem.
— C'est sûrement Colombe, notre secrétaire, répond Laurence.
— Que c'est beau! s'exclame Véronica
   en passant près de monsieur Léo, le concierge.

— Bonjour, monsieur Léo. Bonne Saint-Valentin,
   disent les enfants.
— Bonjour, les enfants. Bonne Saint-Valentin à vous aussi,
   répond monsieur Léo avec un grand sourire.

37

Germain et ses élèves entrent dans le gymnase
pour le cours d'éducation physique.
Les élèves sont émerveillés.
Une banderole est suspendue au mur.
Sur la banderole, on a écrit
en grosses lettres rouges :
Joyeuse Saint-Valentin !
Il y a des coeurs partout, partout.
Monsieur Léo est là et il sourit aux enfants.
Il est heureux de voir les enfants aussi contents.

Ce matin, chaque enseignant a trouvé dans son casier
un message écrit sur un coeur.
Éloïse, la directrice, a trouvé sur son bureau
un beau bouquet de ballons en forme de coeur.
À la pause-café, monsieur Léo surveille
tout le monde du coin de l'oeil.
Il est fier de son coup. Il se dit :
« Quand la journée commence par un sourire,
 le coeur fait le plein de soleil et d'entrain. »

Monsieur Léo se sent léger comme l'air.
Le bonheur, c'est peut-être cela :
faire plaisir aux autres
simplement pour les voir sourire.

Rappelle-toi !

tam**bour**   **elle** e**m**brasse   **im**perméable   **pom**pier

Charlie est un grand sportif.
Lis le texte pour connaître les sports que Charlie préfère.

L'an passé, au mois de février, j'étais au Québec.
Je patinais, je skiais et je jouais au hockey.
Je tombais de temps en temps.

Cette année, au mois de février, je suis en Floride.
Je nage, je fais de l'équitation et je joue au golf.
J'aimerais participer à une compétition de ballon-panier.
C'est impossible : mon médecin me l'interdit.

L'an prochain, au mois de février, je serai en Alaska.
Je me promènerai en motoneige.
Je ferai de la raquette, mais pas pendant les tempêtes.
Je serai champion de pêche sur la glace.

Charlie

 Fais la liste des sports
que Charlie a pratiqués jusqu'à maintenant.

Tss - tss !
Un peu d'ordre, s'il vous plaît !

*Pendant l'absence de leurs parents,
les jumeaux ont inventé un jeu très spécial.
Lis le texte pour savoir ce qui s'est passé dans la cuisine.*

La jungle dans la cuisine

 Laurent et Mireille sont partis
pour la fin de semaine avec Esther et Grégory.
Flavie garde les six enfants, le chien,
la chatte, la perruche et les deux souris blanches.

Aujourd'hui, il fait trop froid pour jouer dehors.
Marie-Philippe, Mathieu, Josèphe
et Alfred mijotent un projet.
Mathieu en parle à Flavie.
Flavie hésite. Finalement, elle dit oui.
— Oui, mais... vous allez attendre que Do Ming soit couché.
   Oui, mais... vous allez me promettre d'être sages.
   Oui, mais... vous allez tout ranger avant le souper.

Un grand drap, deux gros dictionnaires, quatre coussins,
des pinces à linge... Et hop! les enfants transforment
la table de la cuisine en cabane.
Mathieu et Josèphe apportent quelques objets
dans leur maisonnette : un sifflet, des tasses,
des assiettes et des fourchettes.
Pendant ce temps, Marie-Philippe et Alfred
rassemblent quelques provisions : du lait,
des galettes au beurre d'arachide
et des beignets aux bleuets.
Tout est maintenant prêt.

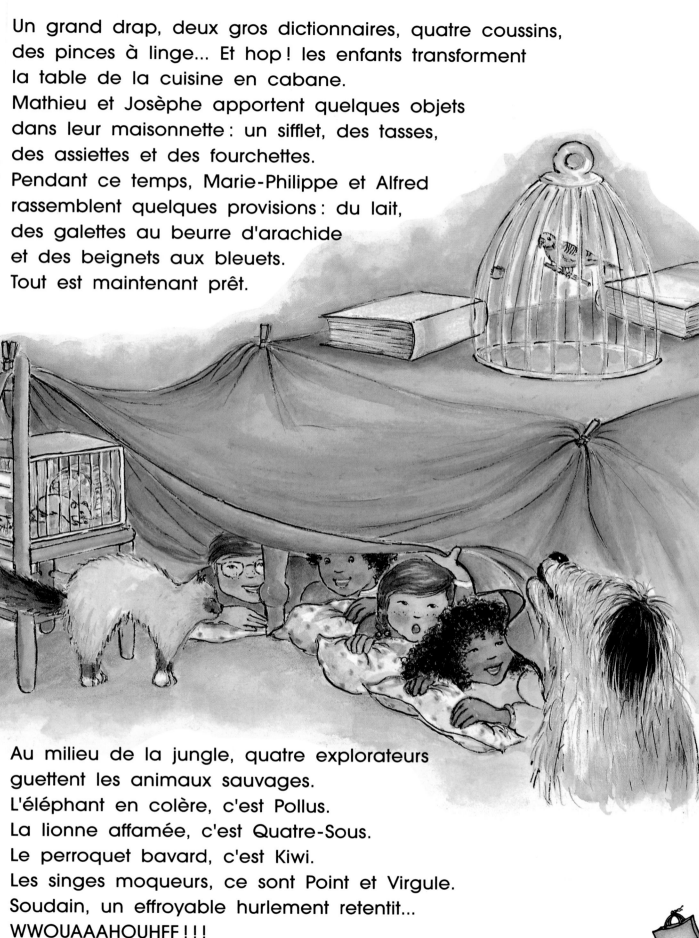

Au milieu de la jungle, quatre explorateurs
guettent les animaux sauvages.
L'éléphant en colère, c'est Pollus.
La lionne affamée, c'est Quatre-Sous.
Le perroquet bavard, c'est Kiwi.
Les singes moqueurs, ce sont Point et Virgule.
Soudain, un effroyable hurlement retentit...
WWOUAAAHOUHFF ! ! !

Rampant hors de leur cachette,
les explorateurs sautent dans leur pirogue.
Le crocodile féroce, c'est Pollus.
Les dangereux piranhas, ce sont Point et Virgule.
Le redoutable serpent à sonnettes, c'est Quatre-Sous.
Le terrible vautour, c'est Kiwi.

Dans la cuisine, c'est le désordre total.
Kiwi, affolée, bat des ailes.
Quatre-Sous pourchasse Point et Virgule.
Pollus fonce sur la maisonnette.
Il écrase les galettes en mille miettes.

Tout ce vacarme alerte Flavie.
Elle n'est pas contente.
— Tss-tss ! Un peu d'ordre,
   s'il vous plaît !

Kiwi redevient un oiseau charmant.
Point et Virgule redeviennent deux amusantes souris.
Pollus redevient un « gros toutou en peluche ».
Quatre-Sous redevient une chatte paresseuse.
Les explorateurs redeviennent quatre enfants sages.
La jungle redevient une cuisine...
jusqu'à une prochaine aventure.

 1 • *Raconte l'aventure des quatre explorateurs.*

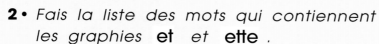 **2 •** *Fais la liste des mots qui contiennent*
   les graphies **et** *et* **ette** *.*

Lis les mots suivants :
- p**er**ruche
- p**er**roquet
- beign**et**
- bleu**et**

Victor et Désirée disent ce qu'ils pensent
du travail à la maison.
Lis le texte pour connaître l'opinion des deux enfants.

Aider ses parents à la maison :
pour ou contre ?

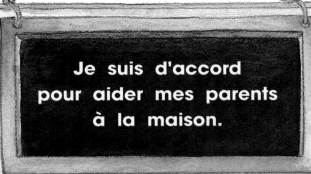

**Je suis d'accord
pour aider mes parents
à la maison.**

Je vis avec mon père
et ma petite soeur.
J'ai 7 ans.
Je suis assez grand
pour aider mon père.
Je fais mon lit.
Je range mes vêtements.
Je ramasse mes jouets.
Je mets la table.
J'arrose les violettes africaines.
Je nettoie la cage
de Flanelle, mon hamster.
Je suis content
d'avoir des responsabilités.

Victor

**Je ne suis pas d'accord
pour aider mes parents
à la maison.**

Je vis avec plusieurs adultes :
mon grand-père,
ma mère, mon père
et mon grand frère.
C'est aux adultes
de s'occuper
du ménage, du lavage,
des repas et de la vaisselle.
Moi, je suis seulement
une enfant.
J'ai 7 ans.
Je suis trop jeune
pour faire du ménage.
Ce que j'aime, c'est jouer.

Désirée

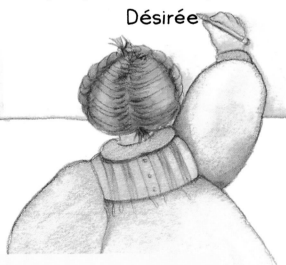

 1 • *Dis ce que tu penses de l'opinion de chaque enfant.*

2 • *Fais la liste des tâches que tu exécutes à la maison.*

 *Quel message contient le plus de phrases ?
Quelle phrase contient le plus de mots ?*

*Imagine que les chiens puissent parler.
Lis le texte pour savoir
ce que des chiens pourraient te dire.*

Si tu as de bonnes manières avec moi,

Donne-moi des ordres courts et précis :
Assis ! Couché ! Au pied !...
Je vais t'obéir plus facilement.

Donne-moi un tapis
ou un panier.
Je ne me coucherai pas
sur les lits et sur les fauteuils.

Prends le temps de me brosser.
J'ai besoin que tu prennes soin de moi.

Donne-moi un jouet
en caoutchouc.
Je ne mordillerai pas
tout ce qui me tombe
sous la dent.

Viens te promener dehors
avec moi tous les jours.
J'ai besoin de faire de l'exercice.

j'aurai de bonnes manières avec toi.

Nourris-moi toujours aux mêmes heures.
Donne-moi de l'eau fraîche.
Je vais mieux digérer.

Ne me donne pas ta nourriture.
Ce n'est pas bon pour ma santé.

Ne me tire pas par la queue.
Je deviens nerveux
et je peux mordre.

Sois doux mais ferme.
Ne permets pas aujourd'hui
ce que tu as interdit hier.

Félicite-moi
quand j'ai bien agi.
Je vais apprendre
mieux et plus vite.

Puce

Plouf

Clap

S.O.S.

Rosy

Bip

 1• *Dis ce que tu penses des conseils donnés par les chiens.*

2• *Écris deux conseils donnés par les chiens et illustre-les.*

 Trouve les phrases de forme négative.

Un projet écologique

À l'école Saint-Pierre, à Alma,
on récupère et on recycle.
On protège ainsi l'environnement
et on amasse de l'argent.
Tous les élèves de l'école
participent aux activités.

Fabrication de cartes originales

Les élèves fabriquent du papier recyclé.
Ils utilisent ce papier pour faire
des cartes de souhaits
et des cartes d'invitation originales.
Par la suite, les élèves vendent
ces cartes.

chiquetage
papier

rication
la pâte

Moulage

Démoulage

Séchage

53

Récupération de canettes et de sacs en papier

Les élèves recueillent les canettes vides
et les sacs d'épicerie usagés.
Ils les déposent dans des bacs à récupération.
Les élèves vérifient les sacs
avant de les mettre en ballots.
Les sacs sont vendus à des magasins
d'alimentation. Les canettes sont vendues
à des compagnies de recyclage.

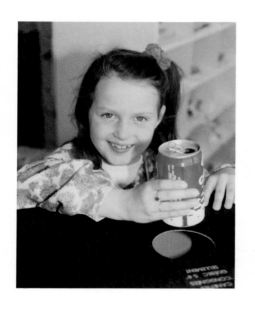

Nettoyage et embellissement du quartier

Les élèves organisent une journée
de nettoyage du quartier.
Ils ramassent des débris de papier,
de verre et de plastique.

Pendant l'hiver, les élèves préparent des plants
de fleurs et d'arbres dans les serres de l'école.
Au printemps, les élèves transplantent
les fleurs et les arbres dans le quartier.

Les élèves de l'école Saint-Pierre
respectent l'environnement.
Ils apprennent à recycler et à économiser.
Les élèves utilisent l'argent amassé
pour organiser des loisirs intéressants.

 1 • *Décris une activité réalisée par les élèves,*
à l'école Saint-Pierre.

 2 • *Fais une liste des questions que tu aimerais*
poser aux élèves de l'école Saint-Pierre.

 Comment as-tu fait pour connaître rapidement
le contenu de ce texte ?
Quelles informations t'ont données les sous-titres
et les photographies ?

Voici un aquarium très spécial.
Lis le texte pour savoir comment fabriquer
un drôle de poisson.

Des drôles de poissons

 Voici comment fabriquer un poisson-papillon.

Matériel

- un carton de couleur
- deux carrés de papier,
  plus petits que le carton de couleur
- un crayon à la mine
- un crayon-feutre noir
- des ciseaux
- une règle
- de la colle ou du ruban adhésif

Démarche

1 · Trace un carré sur le carton.
Découpe le carré.

Ce sera le corps de ton poisson.

2 · Dessine un gros point noir
dans un coin du carré.

Ce sera l'oeil de ton poisson.

3 · Plie en accordéon un des carrés
de papier.
Pince un bout pour former un éventail.

Ce sera la nageoire de ton poisson.

4 · Plie en accordéon l'autre carré
de papier.
Pince un bout pour former un éventail.

Ce sera la queue de ton poisson.

5 · Colle la nageoire et la queue
sur le corps de ton poisson.

Explique à quelqu'un comment fabriquer un poisson-papillon.

Lis les mots soulignés.
Ces mots indiquent les actions à faire.

Poisson d'avril !

Aujourd'hui, c'est le premier avril.
Carmelle revient vite de l'école.
Elle a fabriqué deux gros poissons en carton
pendant la journée. Carmelle veut coller ses poissons,
en cachette, dans le dos de ses parents.

Déception... Il n'y a personne à la maison.
Carmelle trouve un message épinglé sur le babillard :

> Il y a une inondation dans le sous-sol.
> Je suis allée chercher le plombier,
> monsieur Roland Guille.
>
> Maman

Curieuse, Carmelle descend vite l'escalier.
Au sous-sol, il n'y a pas d'eau sur le plancher.
Carmelle trouve seulement un bocal rempli d'eau.
Dans le bocal, il y a un poisson rouge.
— Poisson d'avril ! crient son père et sa mère
   cachés derrière la porte.

Carmelle est bien contente de la surprise.
Carmelle oublie le tour qu'elle voulait jouer à ses parents.
Comme dit le proverbe : *Tel est pris qui croyait prendre !*

Raconte le tour qu'on a joué à Carmelle.

58

Voici une histoire composée par Bernadette Renaud.

Inès, la petite sirène

Il était une fois une petite sirène qui s'appelait Inès.
Elle vivait dans les profondeurs d'une mer enchantée.
Chaque jour, Inès nageait de longues heures.
Elle jouait à cache-cache avec les poissons.
Puis elle montait se reposer sur un rocher
et faisait miroiter ses écailles au soleil.

Un jour, Inès cessa de jouer.
Plus rien ne semblait l'amuser.
Les baleines blanches tournaient autour d'elle
sans réussir à la distraire.
Les crevettes agitaient leurs antennes
sans réussir à attirer son attention.
Les hérissons de mer se gonflaient d'eau
sans réussir à la faire sourire.
Inès, la petite sirène,
avait un gros chagrin.

Au fond de la mer, tous s'inquiétaient :
« Pourquoi la petite sirène est-elle si triste ? »
Ombrelle, la méduse transparente, accepta de parler à Inès.
— Sirène, ô sirène, pourquoi pleures-tu ?
Inès secoua d'abord la tête sans répondre.
Puis, entre deux sanglots, elle murmura :
— Je suis seule au monde.
   Il n'y a pas d'autres sirènes comme moi.
   Je ne suis pas un être humain.
   Je ne suis pas un poisson.
   Je ne suis rien du tout !
Et Inès s'éloigna en agitant sa longue queue.

Inès erra longtemps au fond de la mer.
Le corail aux mille couleurs ne l'émerveillait plus.
Elle ne riait plus quand les plantes
la chatouillaient au passage.
Elle bousculait même ses amis les poissons.

Enfin, à bout de chagrin, Inès remonta à la surface de l'eau.
Elle pencha la tête tristement et regarda dans l'eau.
Des centaines de petits harengs formaient
une couronne scintillante autour de sa tête.
— Inès, veux-tu être notre reine ?
   demandèrent les petits poissons.

Inès vit que le peuple de cette mer enchantée l'aimait.
Inès, radieuse, accepta d'être leur reine.
Elle plongea au milieu des petits harengs aux mille lumières
en soulevant un tourbillon d'écume. Elle se mit à danser
avec les poissons parmi les plantes et les coraux.
C'était là son royaume.
Inès se sentit enfin heureuse...

révision

Rappelle-toi !

Gabrielle   **Superlux**   **Esther**   **perroquet**

1 *Lis les phrases*
et trouve ce qui est fait en premier.

Bernard lit d'abord la recette.
Puis il prépare les beignets.

Avant de manger son caramel,
Leslie jette le papier à la poubelle.

Masiel écrit une lettre d'amour à Elsa.
Puis il cherche l'adresse d'Elsa
dans son carnet.

Minet fait sa toilette
après avoir mangé.
Ensuite, il fait la sieste.

2 *Lis chaque phrase*
et trouve qui est arrivé en premier.

Marie-Pier est arrivée au chalet après Samuel.

Mathieu est né avant Marie-Philippe, sa soeur jumelle.

Dring ! dring !
Le printemps se réveille.

C'est une journée spéciale pour les jumeaux.
Lis le texte pour savoir ce qui arrive aux jumeaux.

L'anniversaire des jumeaux

Samedi, 8 avril, 8 heures.
Les jumeaux ont 8 ans aujourd'hui.

Excités, les jumeaux dégringolent l'escalier.
Malheureusement, il n'y a personne dans la cuisine.
Il n'y a pas de décorations, pas de cadeaux,
pas de gâteau et... pas d'amis.
Il y a seulement un grand carton sur la table.

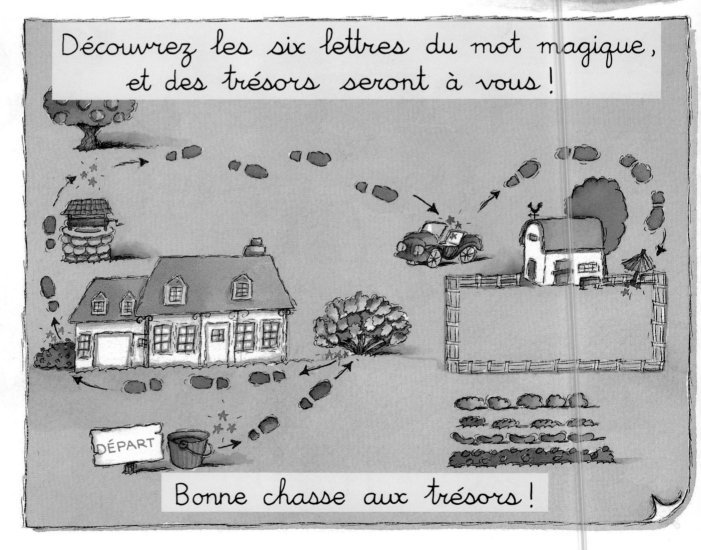

Découvrez les six lettres du mot magique,
et des trésors seront à vous !

DÉPART

Bonne chasse aux trésors !

— Hourra ! une chasse aux trésors ! crient les jumeaux.

À droite du seau,
Mathieu trouve sa veste à carreaux.
Dans la poche de sa veste,
il découvre un s .

À gauche du lilas,
Marie-Philippe trouve le bol du chat.
Sous le bol du chat,
elle découvre un a .

Derrière les framboisiers,
Mathieu et Marie-Philippe découvrent un p .

Entre le pommier et le puits,
Mathieu découvre un i .

Sur le siège de la voiture ancienne,
Marie-Philippe découvre un n .

— s a p i n
   Sapin ! dit Mathieu, surpris et grimaçant.
— Sois patient ! Il reste une lettre à découvrir, dit Marie-Philippe.
   Oh ! regarde sous l'ombrelle. Il y a un L .
— Bravo ! crie Camille.
   Vous avez découvert les six lettres du mot magique.
   Allez dans l'étable maintenant.

Dans l'étable, il y a des décorations, des cadeaux,
un gâteau et... des amis.
Flavie et sa soeur jumelle, Rosalie,
portent des costumes de magiciennes.

Les deux marraines ont préparé un spectacle
pour l'anniversaire de leurs filleuls.

— *Abracadabra ! abracadabra !*
Dadzim ! dadzoum ! zap ! zip ! pour Marie-Philippe.
Badaboum ! patapoum ! gueuleu ! gueuleu ! pour Mathieu.

Deux trésors sortent soudainement d'une grande boîte.
— Oh ! comme ils sont charmants ! Merci ! Merci !
s'exclament les jumeaux.
— Le mien s'appellera Pan-Pan ! dit Mathieu.
— J'appellerai le mien Flon-Flon ! dit Marie-Philippe.

Tout le monde s'amuse, sauf Pollus qui boude dans son coin.
Mathieu serre Pollus dans ses bras.
Il lui dit doucement à l'oreille :
— Ne sois pas jaloux, mon gros toutou en peluche !
Je t'aimerai toujours, tu le sais bien !

 1 • *Raconte la journée d'anniversaire des jumeaux.*

2 • *Fais la liste des personnes et des animaux*
qui assistent à la fête.

 Lis les mots soulignés. Que remarques-tu ?

Trois animaux cherchent une famille adoptive.
Lis les annonces pour connaître ces animaux.

Veux-tu m'adopter ?

CACTUS

J'aime courir, me rouler dans l'herbe
et jouer avec les enfants.
Je sais faire le beau et donner la patte.
Je sais aussi rapporter la balle.
Je n'ai que 8 mois.
Imagine tout ce que tu peux m'apprendre.

MISS DAISY

J'ai 3 ans.
J'ai passé l'âge des folies.
Je suis une chienne moitié labrador,
moitié berger allemand.
Je suis une excellente gardienne d'enfants.

SAHARA

J'ai l'air d'une bête fauve.
J'ai les yeux pétillants
et les oreilles aux aguets.
Mon pelage a la couleur du miel
et du caramel.
Je suis une belle chatte tigrée.
Je suis douce et affectueuse.

 1 • *Dis quel animal tu préfères et pourquoi.*

2 • *Trouve une qualité à chaque animal.*

Mon ami Pomme

Je m'appelle Sabrina.

J'ai 8 ans.

Hier, c'était mon anniversaire.

Mon père m'a amenée visiter l'écurie
de son ami Yvon Béliveau.

J'ai vu de près un vrai cheval !

Monsieur Béliveau et sa fille Annie
ont répondu à mes questions.

Sabrina :	**Est-ce un garçon ou une fille ?**
M. Béliveau :	C'est un garçon. C'est un cheval mâle.

Sabrina :	**Est-ce qu'il a un nom ?**
Annie :	Il s'appelle **Pomme**, parce qu'il adore les pommes.

Sabrina :	**Est-ce qu'il mange** **seulement des pommes ?**
M. Béliveau :	Non. Il mange du foin et de l'avoine. Les pommes, ce sont des gâteries.

Sabrina :	**Est-ce que je peux toucher à Pomme ?**

M. Béliveau : Tu peux toucher à **Pomme**,
mais tout doucement.
Un cheval, c'est comme un être humain.
Il peut être de bonne humeur
ou de mauvaise humeur.
Il peut avoir un bon caractère
ou un mauvais caractère.
Il peut être patient ou impatient.

Sabrina :	**Est-ce que Pomme demande beaucoup de soins ?**

Annie : Oui. Il faut s'occuper d'un cheval tous les jours,
même pendant les vacances.
Il faut le nourrir, le brosser,
peigner sa crinière et sa queue,
curer ses sabots.
Il faut aussi l'amener
se promener dehors
le plus souvent possible.

Sabrina :	**Est-ce facile d'apprivoiser un cheval ?**
	Est-ce que Pomme peut devenir mon ami ?

M. Béliveau : Un cheval, c'est un ami. Mais l'amitié se construit.
Un cheval a besoin de ton amour, de ta présence
et de tes gâteries.
Oui, **Pomme** peut
devenir ton ami.

 1 • *Dis ce que tu sais du nouvel ami de Sabrina.*

2 • *Écris des questions que tu aimerais poser
à monsieur Béliveau et à sa fille Annie.*

 Lis les phrases soulignées.
Que remarques-tu ?

Bénédicte veut adopter un animal. Elle a posé des questions à madame Gagnon. Lis la lettre de madame Gagnon pour connaître les besoins d'un animal.

Un animal vivant
ou un animal en peluche?

Chère Bénédicte,

Tu as bien compris qu'un animal n'est pas un jouet.
C'est un être vivant.
Comme toi, un animal a des besoins.

Un animal a d'abord besoin de toi.
Tu seras sa maman, sa grande soeur, son amie.
Comme toi, un animal a besoin d'être aimé.
Tu devras lui montrer ton affection
et jouer souvent avec lui.

Comme toi, un animal peut s'ennuyer.
Il n'aime pas rester seul trop longtemps.
Il aime avoir de la compagnie.
Tu devras parfois le faire garder.

Comme toi, un animal a besoin de manger.
Tu devras le nourrir tous les jours.
Comme toi, un animal peut être malade.
Tu devras faire vacciner ton animal.

Un animal vivant, ce n'est pas
comme un animal en peluche.
On ne peut pas l'abandonner dans un coin.
Si tu veux adopter un animal,
tu devras en prendre soin tous les jours.

Louise Gagnon
Fondatrice de la Miaouf Adoption

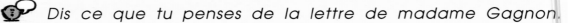 *Dis ce que tu penses de la lettre de madame Gagnon.*

Voici une chanson composée par Suzanne Pinel.
Lis les paroles de la chanson.
Essaie d'apprendre cette chanson par coeur.

Un concert amusant

Les animaux de toute la terre
sont réunis dans la clairière
pour s'exercer à bien chanter.

Refrain

Le poisson dans l'eau
répète son solo.
Blop ! Blop ! Blop ! Blop !

1 La vache meugle.   *Meuh ! Meuh !*
Le chien aboie.   *Wouf ! Wouf !*
Le cochon grogne.   *Groin ! Groin !*
Le singe crie.   *Iiik ! Iiik !*
L'âne brait.   *Hi-han !*
Le pigeon roucoule.   *Roucoucoulou !*

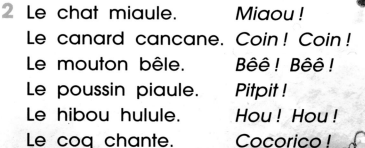

2 Le chat miaule.   *Miaou !*
Le canard cancane.   *Coin ! Coin !*
Le mouton bêle.   *Bêê ! Bêê !*
Le poussin piaule.   *Pitpit !*
Le hibou hulule.   *Hou ! Hou !*
Le coq chante.   *Cocorico !*

1 • *Dis ce que tu penses de cette chanson.*
2 • *Compose un autre couplet à la chanson.*

Des animaux météo

Est-ce qu'il fera beau cet après-midi ?
Est-ce qu'il pleuvra demain matin ?
Le comportement des animaux
permet parfois de prédire le temps qu'il fera.

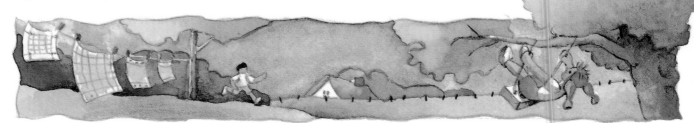

Des signes de beau temps

- Les rossignols chantent toute la nuit.
- Les rouges-gorges se posent au sommet des arbres.
- Les tourterelles et les pigeons roucoulent le soir.
- Les coccinelles, posées sur le bout du doigt,
  s'envolent sans effort.
- Les chats ronronnent sans raison.

Des signes de pluie

- Les hirondelles volent bas.
- Les étourneaux se posent par bandes sur les arbres.
  Puis ils s'envolent en désordre.
- Les poissons mordent plus facilement à l'hameçon.
- Les chats s'asseoient paisiblement près d'une fenêtre.

Des signes d'orage

- Les moustiques sont plus nombreux et <u>piquent</u> sans arrêt.
- Les abeilles <u>retournent</u> à la ruche en plein jour.
- Les vers de terre <u>sortent</u> de leur trou.
- Les boeufs <u>reniflent</u> bruyamment.
- Les chats <u>grimpent</u> aux rideaux.

Des signes de froid et de vent

- Les oies <u>crient</u> et <u>agitent</u> leurs ailes.
- Les chiens se <u>roulent</u> par terre, <u>cachent</u> leurs os
  et <u>mangent</u> de l'herbe.
- Les chats n'en <u>finissent</u> plus de se lécher.
  Ils font leurs griffes partout.

 1 • *Choisis un animal et explique comment il prédit
le temps qu'il fera.*

 2 • *Fais une affiche sur le comportement du chat.*

 *Lis les mots soulignés.
Ces mots sont des verbes déguisés.
Quels verbes se cachent sous ce déguisement ?*

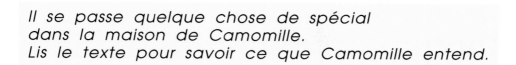

Il se passe quelque chose de spécial
dans la maison de Camomille.
Lis le texte pour savoir ce que Camomille entend.

Des bruits dans la maison

Le printemps se réveille.
Mais moi, j'ai encore sommeil.
Quel tintamarre dans la maison !
Je me cache sous mon édredon.
Est-ce que je rêve ou si c'est vrai ?
Dis-le moi vite, s'il te plaît.

Dans la cuisine, quel tapage !
J'entends le grondement du malaxeur
et le RRRR du réfrigérateur.
J'entends le sifflement de la bouilloire
et le PSCHH de la cafetière.
J'entends le ronflement du lave-vaisselle
et le CLIP CLIP du grille-pain.

Dans la salle de bains, quel vacarme !
J'entends le BZZZ du rasoir électrique de papa
et le RZZZ du sèche-cheveux de Louka.
J'entends le ronronnement de la laveuse
et de son inséparable amie la sécheuse.

Dans l'atelier de mes parents, quel brouhaha !
J'entends le chuintement du fer à repasser
et le bourdonnement de l'ordinateur.
La machine à écrire forme un duo comique
avec la calculatrice électrique.

Dans le salon, quelle cacophonie !
J'entends le tic-tac de l'horloge
et le DRING DRING du téléphone.
J'entends le BZROUM de l'aspirateur
et le bredouillement du téléviseur.

Le printemps se réveille.
Mais moi, j'ai encore sommeil.
Est-ce que je rêve ou si c'est vrai ?
Dis-le moi vite, s'il te plaît.

 1 • *Dis ce que tu penses de ce texte.*

 2 • *Fais la liste de tous les appareils qui font du bruit.*

 Explique le sens des mots soulignés.
Comment as-tu fait pour comprendre ces mots ?

Bobine de fil et robot

Il reste seulement trois jours avant la fin de semaine.
À pas de tortue, Isaac se prépare à partir pour l'école.
Il prend son sac d'écolier et sa boîte-repas.
Il met sa casquette sur sa tête.

Une bobine de fil vide roule jusqu'à Isaac.
Son chaton, Patte de velours, arrive en courant.
Il cherche son jouet partout.
Trop tard ! Isaac a déjà caché la bobine de fil
dans sa boîte à trésors.

Isaac ramasse tout ce qu'il trouve,
car il veut construire un robot.
Un robot qui ferait son lit.
Un robot qui laverait la vaisselle.
Un robot qui porterait les poubelles
au bord de la rue.
Isaac aurait enfin plus de temps
pour bricoler, rafistoler, inventer.

À l'école, Henriette, l'enseignante d'Isaac,
n'est pas comme d'habitude.
Elle ne porte pas ses lunettes aujourd'hui. Tant mieux !
Isaac a toujours pensé que les lunettes d'Henriette
voyaient seulement les fautes. Henriette a épinglé
des coupures de journaux sur le babillard.

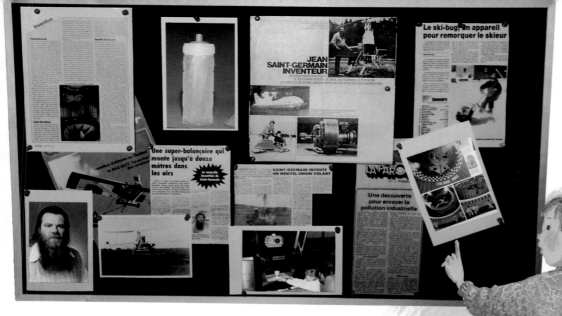

Isaac regarde les coupures de journaux.
Il n'en croit pas ses yeux.
— C'est mon grand-papa! Mais oui!
   C'est mon grand-père St-Germain.
   Celui qui est un inventeur.

Pendant toute la journée,
Henriette et ses élèves parlent d'inventions.
La journée passe tellement vite!
Isaac est surpris d'entendre la cloche sonner.
Il court à la maison. Sa casquette devient
une soucoupe volante.
Ses bras forment les ailes d'un avion.

Arrivé à la maison, Isaac téléphone à son grand-père.
— Grand-papa, veux-tu m'aider?
   Je veux construire le plus extraordinaire robot du monde.
Le soir, dans son lit, Isaac se met à rêver.
Il sera un inventeur, lui aussi,
comme son grand-père Jean St-Germain!

 Dis ce que tu sais du grand-père d'Isaac.

 Lis les groupes de mots soulignés.
Que remarques-tu?

Bonjour ! Je suis Superlux ! J'aide les enfants à penser.

Oh ! mes amis sont bien songeurs aujourd'hui !

Vincent veut inventer un ordinateur qui ferait ses devoirs.

Marie-Noëlle veut inventer un masque qui cacherait sa peine.

Constant veut inventer un robot qui rangerait sa chambre.

Superlux aide les enfants à penser.

Pourquoi inventer des objets qui feraient les choses à ma place ?

Pourquoi vouloir un ordinateur spécial ?

J'ai un merveilleux cerveau qui peut m'aider à faire mes devoirs.

Pourquoi vouloir un masque ?

J'ai du chagrin, mais j'ai des amis qui peuvent me consoler.

Pourquoi vouloir un robot ?

J'ai deux mains qui peuvent tout ranger.

Des solutions simples... pourquoi pas ?

Il y a plusieurs façons de décorer des oeufs.
Lis le texte pour savoir comment décorer des oeufs de Pâques.

Des oeufs rigolos

Des oeufs déguisés

Démarche pour faire un oeuf chat

1. **Prends** un oeuf vidé et nettoyé.

2. **Dessine** sur la coquille
les yeux, le nez
et la bouche d'un chat.

3. **Peins** les yeux en vert,
le nez en rose
et la bouche en blanc.

4. **Peins** en noir
le reste de la tête du chat.

5. **Découpe** dans un carton noir
des oreilles et des moustaches pour le chat.
Colle-les sur l'oeuf.

6. **Peins** en noir un rouleau de papier hygiénique.

7. **Place** l'oeuf sur le rouleau de papier hygiénique.

8. **Fais** une queue au chat avec un bout de laine.

Ajoute d'autres décorations au gré de ta fantaisie.

Des oeufs colorés

Démarche

1 <u>Prends</u> des oeufs vidés et nettoyés.

2 <u>Dessine</u> sur les coquilles
des motifs de ton choix.
Utilise un crayon.

3 <u>Peins</u> les motifs
avec un pinceau fin et de la gouache.
Utilise des crayons-feutres si tu préfères.

4 <u>Dépose</u> les oeufs colorés dans des coquetiers
ou sur des petits anneaux.

 *Fais la liste du matériel nécessaire pour faire
des oeufs déguisés ou des oeufs colorés.*

 *Lis les mots soulignés.
Ces mots indiquent les actions à faire.*

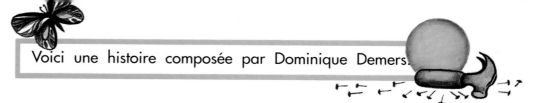
Mon voisin l'ogre

Tête de têtard ! Oreille de pingouin !
Je suis fâché contre le monde entier.
Je suis fâché parce que, depuis deux semaines,
c'est le printemps le plus triste de ma vie.
Depuis deux semaines, Ali, mon gentil voisin,
mon meilleur ami, est déménagé à Saint-Jérémie.
Et Saint-Jérémie, c'est loin en titi !

Ali m'avait promis qu'au printemps on construirait
une cabane secrète dans le petit bois du parc.
La cabane du club des **Zouboubaloupoungpoung** !
Nous serions les deux chefs des **Zouboubaloupoungpoung** !
Nous avions trois millions d'idées de jeux pour cet été.
Mais c'est fini, F-I-N-I : FINI.

Deux jours après le départ de mon ami Ali,
le camion de DÉDÉ DÉMÉNAGEUR est revenu.
Et dans sa grosse boîte, il n'y avait
que des meubles et des caisses.
Pas d'enfant. Pas d'ami.

Et ce n'est pas tout !
Devine à qui appartiennent
tous ces meubles et toutes ces caisses.
Oui... bien sûr... à notre nouveau voisin.

Mais qui est notre nouveau voisin ?
Notre nouveau voisin est un ogre !
Comme dans le conte *Le Petit Poucet*.
Mon nouveau voisin est grand et gros et très poilu,
comme les ogres mangeurs d'enfants.

Je n'ai pas de preuves, c'est sûr. Mais c'est tout comme.
Parce que, en plus d'être grand, gros et très poilu,
mon voisin **a l'air méchant !** Et ce n'est pas tout :
mon voisin **a l'air mystérieux...**

Depuis dix jours, j'espionne mon voisin l'ogre
par la fenêtre de ma chambre.
C'est ainsi que j'ai découvert que mon voisin l'ogre
sort en cachette tard le soir et tôt le matin.
Il se dirige toujours vers le parc avec un petit sac vide
à la main. Le petit sac semble moins vide lorsqu'il revient.
Mon voisin le transporte alors... d'une drôle de façon.
Comme s'il contenait... du poison.

Mais ce n'est pas tout ! Hier, le facteur s'est trompé.
Il a laissé dans notre boîte une lettre adressée à notre voisin :
Monsieur Archimède Lapierre. Un faux nom, c'est sûr.
Les noms d'ogre sont beaucoup plus terribles.
Si j'étais un ogre, je changerais de nom, moi aussi,
pour qu'on ne se doute de rien.

Le pire, c'est que mon père m'a demandé
de sonner chez le voisin pour lui remettre sa lettre.
Alors, si je ne termine pas cette histoire, tu sauras pourquoi.
Mon père entendra-t-il mes cris lorsque l'ogre me dévorera ?

Hier, je ne suis pas mort. Hier, le printemps est arrivé
pour de bon. Avec le soleil et le gazouillis des oiseaux.
Et depuis hier, j'ai deux nouveaux amis.
Un grand, l'autre tout petit.

Mon voisin n'est pas un ogre. Juste un géant.
Il est vraiment grand et gros et terriblement poilu.
Mais il n'est pas méchant. Et mon voisin a un chien !

Un chien mignon comme tout et à peine plus grand
que ma main. Le pauvre petit chien s'ennuie énormément
parce que mon voisin travaille beaucoup, beaucoup.
Mon voisin a tout juste le temps de promener son bébé chien
tard le soir et tôt le matin. Et il est toujours si pressé
qu'il glisse son petit chien sous son chandail
pour marcher jusqu'au parc.

Devine ce que transporte mon voisin
dans l'étrange petit sac lorsqu'il revient du parc.

J'ai offert à mon ami Archimède de garder son chien le soir
lorsqu'il travaille. Je serai un bon gardien :
je ne laisserai pas son chien regarder trop longtemps
la télévision.

Mon ami Archimède était très content.
Il m'a suggéré de l'aider à trouver un nom pour son chien.
Au début, j'ai pensé l'appeler Ali.
Mais Ali, c'est Ali. Mon meilleur ami.
On ne peut pas le remplacer.
Alors, j'ai décidé qu'on l'appellerait l'Ogre.
Archimède a bien ri.

révision

Rappelle-toi !

éléph**ant**

Fernand

Laurent

oeuf

---

1 *Mime les phrases.*

- Josèphe s'endort en ronronnant comme une chatte.

- Do Ming et Camille amusent la famille en grimaçant comme des singes.

- Marie-Philippe montre sa colère en rugissant comme une lionne.

- Alfred et Mathieu sortent de leur cachette en rampant comme des serpents.

2 *Dis si les personnages sont tristes ou joyeux.*

- Vincent et Aminata regardent leur poisson, Brigand, qui est mort. Ils ont les larmes aux yeux.

- Filipa et Bertrand gagnent le concours de danse à claquettes. Ils ont les larmes aux yeux.

3 *Remplace le mot souligné par le nom de l'endroit qui convient.*

Clément est marchand d'oeufs au Mexique.
Là-bas, il fait chaud pendant l'hiver.
Ici, il fait froid pendant l'hiver.

Bzziii ! bzziii !
Vivre dans la nature

9

Flavie reçoit une invitation.
Va-t-elle accepter cette invitation ?
Lis le texte pour connaître l'aventure de Flavie.

Promenade sur deux roues

Antonio apporte le courrier à Flavie.

Il a un sourire mystérieux au coin des lèvres.

Flavie découvre une carte d'invitation parmi les lettres.

> Rendez-vous
> le 24 juin, à midi,
> pour une promenade
> sur deux roues.
>
> Antonio
> XXX

— Une promenade à bicyclette ? s'interroge Flavie.

Je ne suis jamais allée à bicyclette.

Je suis sûrement trop vieille pour apprendre.

Pourtant, Flavie a bien envie d'accepter l'invitation d'Antonio.

Elle téléphone à Camille.

— Camille, je veux apprendre à faire de la bicyclette.

Peux-tu m'aider ? demande Flavie.

Camille donne rendez-vous à Flavie

derrière la maison de Frédérique.

Le lendemain, Flavie se présente à son premier cours.

Elle est habillée d'une robe légère,

coiffée d'un immense chapeau et chaussée de sandales.

Flavie est très excitée. Elle monte sur sa bicyclette.

— Grand-maman, ne pars pas ainsi ! s'exclame Camille.

Trop tard ! Flavie perd l'équilibre et tombe.

Elle se relève difficilement.

Elle a quelques égratignures et une bosse sur la tête.

Ouf ! elle s'en est bien tirée.

— Comme c'est difficile de garder son équilibre ! s'écrie Flavie.

Je ne saurai jamais monter à bicyclette !

Camille et Frédérique encouragent Flavie.

Elles lui donnent des conseils.

Tous les jours, Flavie s'entraîne sérieusement.

Elle porte toujours son casque protecteur et des espadrilles.

Maintenant, sa bicyclette est munie de l'équipement obligatoire :

un phare avant, un feu arrière et des réflecteurs.

Flavie fait rapidement des progrès.

Elle rêve de devenir une championne cycliste.

Le 24 juin, à midi, Flavie attend Antonio.
Elle s'inquiète, car elle n'est pas encore
une championne cycliste.
Tout à coup, Flavie entend le vrombissement d'un moteur.
Elle regarde par la fenêtre et voit Antonio.
Surprise, elle se met à rire.
— Les prouesses, ce sera pour une autre fois !
Aujourd'hui, je n'aurai même pas besoin de pédaler !

Toute la famille regarde Flavie et Antonio s'éloigner lentement.
Il fait un temps radieux pour une promenade sur deux roues.

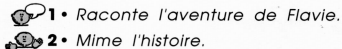 **1 •** *Raconte l'aventure de Flavie.*

2 • *Mime l'histoire.*

 Lis les phrases soulignées.
Quelles personnes ont dit ces phrases ?
Comment as-tu fait pour trouver qui a dit ces phrases ?

Pourquoi ?

Qu'est-ce qui se passe ici ?

Porte des vêtements de couleur voyante.

Circule à califourchon et tiens toujours le guidon.

Signale tes intentions :

Installe les accessoires obligatoires.

Roule dans le sens de la circulation. Reste à l'extrême droite de la chaussée.

Quel drôle d'anniversaire !

Oh ! Stéphanie m'atte à la piscine !

Bon anniversaire, Stathis !

Pour toi, un casque de vrai cycliste !

Merci !

N'oublie pas, Stathis : pose un fanion...

Je sais, je sais ! J'ai lu vos messages...

Mais qui a écrit ces messages ?

*Camille a lu des choses surprenantes
dans le **Livre des records**.
Lis le texte pour découvrir ce qu'elle a lu.*

Imagine un peu...

**Imagine
un peu...** Ton parrain te donne en cadeau
la bicyclette la plus haute du monde.

La roue avant de la bicyclette
la plus haute du monde
mesure <u>3 mètres de haut</u>.

> Si tu veux rentrer ta bicyclette
> dans la maison, qu'arrivera-t-il ?

**Imagine
un peu...** Ta marraine vient te chercher à l'école
avec la voiture la plus longue du monde.

La voiture la plus longue du monde a <u>26 roues</u>.
Elle a une plate-forme où peut se poser un hélicoptère.
Elle a aussi une piscine avec plongeoir.
Elle mesure <u>30 mètres de long</u>.

> Si cette voiture se promène
> dans les rues de ton quartier,
> qu'arrivera-t-il ?

Imagine un peu... Ton père est l'homme le plus grand du monde.

L'homme le plus grand du monde mesure <u>2 mètres 7 décimètres</u>.

Si ton père te prend sur ses épaules, auras-tu peur ?

Imagine un peu... Ta mère est la femme la plus petite du monde.

La femme la plus petite du monde mesure <u>un peu moins de 6 décimètres</u>.

Si ta mère danse avec l'homme le plus grand du monde, que penseras-tu de ce couple ?

Imagine un peu... Tu fais partie de la famille la plus nombreuse de l'histoire du monde.

La famille la plus nombreuse de l'histoire du monde compte <u>16 fois des jumeaux</u>, <u>7 fois des triplés</u> et <u>4 fois des quadruplés</u>.

Si toutes les personnes de cette famille s'assoient autour d'une même table, combien de chaises faudra-t-il ?

 Réponds aux questions posées.

 Comment as-tu fait pour comprendre les informations mathématiques soulignées ?

Il y a des plantes dont tu dois te méfier.
Lis le texte pour savoir pourquoi
tu dois te méfier de certaines plantes.

Des plantes suspectes

Apprendre à connaître les plantes
est un passe-temps merveilleux.

Savais-tu que tu dois te méfier de certaines plantes ?
Voici trois exemples de plantes suspectes :

Tu dois te méfier
de l'**herbe à poux.**
Le pollen
de cette plante
peut causer
le rhume des foins.

Le pollen
est une poussière
très fine.
Il voyage dans l'air.
Il est transporté
par le vent
ou par les insectes.

Tu dois te méfier
de l'**herbe à puce.**
Cette plante
irrite la peau
quand tu y touches.
Elle cause
des démangeaisons
douloureuses.

Tu dois te méfier
du **dieffenbachia.**
Cette plante
contient un poison
dangereux.
Si tu mâches
ses feuilles,
ta langue devient
très enflée.
Il faut appeler
le Centre anti-poison
tout de suite.

 1 • *Dis ce que tu retiens de ce texte.*

 2 • *Écris ce qui peut arriver à une personne*
qui ne se méfie pas de ces plantes.

 Lis les mots soulignés.
Ces mots sont des adjectifs. À quoi servent ces mots ?

Tu peux rencontrer la nature au coin de la rue.
Lis le texte pour savoir comment tu peux rencontrer
la nature tout près de chez toi.

La nature dans les noms des rues

Sais-tu d'où viennent les noms des rues ?

Les rues portent parfois des noms de personnages célèbres.

Ces personnages ont joué un rôle important

dans l'histoire d'un village, d'une ville ou d'un pays.

Il y a aussi des noms de rues qui rappellent la nature.

Plusieurs rues portent des noms d'arbres, de fleurs ou d'oiseaux.

Voici des exemples de noms qui rappellent la nature :

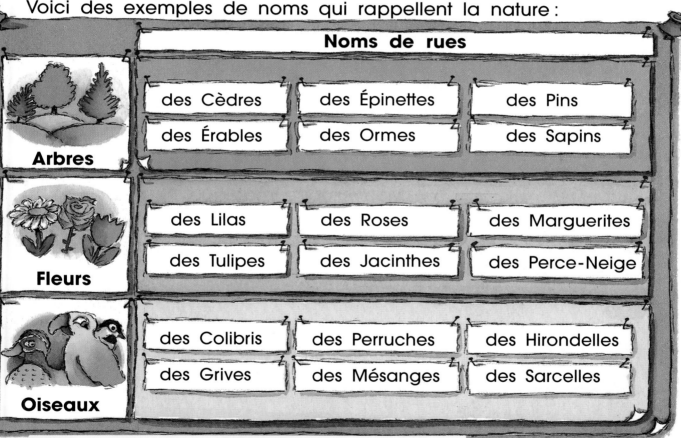

Noms de rues

Arbres

| des Cèdres | des Épinettes | des Pins |
| des Érables | des Ormes | des Sapins |

Fleurs

| des Lilas | des Roses | des Marguerites |
| des Tulipes | des Jacinthes | des Perce-Neige |

Oiseaux

| des Colibris | des Perruches | des Hirondelles |
| des Grives | des Mésanges | des Sarcelles |

1 • *Explique le titre du texte.*

2 • *Écris les noms de rues que tu préfères.*

Lis les mots suivants :
- Perce-Neige
- Hirondelles
- Perruches
- Sarcelles

As-tu un endroit secret où tu aimes t'isoler ?
Lis le texte pour connaître
les endroits secrets de cinq enfants.

Mon espace magique

Pour ton anniversaire,
viens passer l'après-midi
dans un endroit plein de mystère.
C'est un espace magique.
Tu vas voir, c'est fantastique !

Mon espace magique,
c'est le vieux tapis gris
qui est sur le balcon.
C'est mon vaisseau spatial, mon hydravion.
Sur mon tapis gris, presque tout est permis.

Mon espace magique,
c'est un coin de la forêt.
J'ai adopté un petit bouleau.
Je l'ai appelé Picot.
Pour le reconnaître, j'ai noué un lacet
autour de la branche du haut.
Chaque jour, je lui confie mes secrets.

Mon espace magique,
c'est sous la galerie.
J'ai construit une maison
avec des boîtes en carton.
Je vais m'y cacher les jours de pluie
avec mon chat Mistigris.

Mon espace magique,
c'est le grenier chez grand-maman.
Dans une vieille malle,
j'ai découvert des vêtements de l'ancien temps.
Hier, j'étais Maïa, une princesse orientale.

Mon espace magique,
c'est le jardin de mon grand-père André.
Je joue à me perdre dans les sentiers.
Parfois, j'arrête pour sentir et pour regarder,
pour toucher ou pour goûter.
Mais toujours, j'écoute la nature chanter.

 1 • *Dis ce que tu penses de l'espace magique de chaque enfant.*

2 • *Dessine l'espace magique que tu préfères.*

Trouve les mots qui riment dans chaque paragraphe.

99

Simon et le soleil d'été

Je m'appelle Simon et j'aime l'été.
Quand le soleil est chaud,
quand les jours sont longs,
je voudrais que l'été dure toujours.

Sur mes échasses, je demande au Héron :
— Comment puis-je faire durer l'été ?
— C'est facile, Simon, dit le Héron.
   Tant qu'il y aura des fleurs, les papillons resteront.
   Et tant qu'il y aura des papillons, l'été durera.

Je vais chercher des papillons aux champs.
Marlène apporte du papier, et moi des ciseaux.
Nous fabriquons des fleurs géantes pour les papillons.
Mais ils savent que ce ne sont pas de vraies fleurs.

Je ne peux pas faire durer l'été.
Mais quand l'été finira, mes amis reviendront.

Ce texte et ces illustrations sont tirés du livre **Simon et le soleil d'été**
de Gilles Tibo, publié en 1991, aux Livres Toundra.

Ma grand-maman Proulx

Aujourd'hui, à l'école, on a parlé des grands-mères.
Je n'ai jamais eu aussi hâte de parler de ma grand-maman
préférée. Mais c'est la grande Sophie qui s'est levée
la première pour dire, toute excitée :

— Moi, ma grand-mère Papineau
   joue de la grosse caisse.
   Elle grimpe aux arbres
   et conduit un taxi.
   Elle fait toujours son magasinage
   en rouli-roulant et saute
   tous les dimanches en *bungee*.

Toute la classe s'est mise à crier :

— Chouette ! Bravo ! Hourra ! et Youpi !
   pour la grand-mère de Sophie !

Puis ce fut le petit Louis qui a poursuivi en disant :

— Moi, ma grand-mère Tremblay
   est une vedette de cinéma.
   Elle joue la comédie
   pour gagner sa vie.
   C'est la reine des grimaces,
   la superstar des pieds de nez.
   On peut la voir tous les dimanches à la télé.

Encore une fois, toute la classe s'est mise à crier :

— Chouette ! Bravo ! Hourra ! et Youpi !
   pour la grand-mère de Louis !

Puis ce fut au tour de Mélanie. Comme elle est timide,
elle a chuchoté, presque marmonné :

– Moi, ma grand-mère Turcotte
   tricote des mitaines
   et des cache-nez.
   C'est pour les pauvres,
   les malades et les handicapés.
   Elle cuisine aussi des tas de gâteaux
   et des montagnes de biscuits.
   Elle les distribue tous les dimanches
   jusqu'à minuit.

Et, évidemment, encore une fois,
toute la classe s'est mise à crier:

– Chouette! Bravo! Hourra! et Youpi!
   pour la grand-mère de Mélanie!

Ensuite, Martin, Carole, Marie-Michèle, Benoît, Amélie
et Nicolas ont raconté, à tour de rôle, les prouesses
extraordinaires de leur grand-mère préférée.

Et plus on criait :
Chouette ! Bravo ! Hourra ! et Youpi !,
moins j'avais envie de parler.
J'avais si peur qu'on crie :
Chou ! pour ta grand-maman Proulx !

Peur parce que ma grand-maman Proulx
n'est pas rigolote du tout.
Je ne l'ai jamais vue tirer la langue
ni sauter sur les divans.
Encore moins rouler à bicyclette
ou filer sur des patins à roulettes.
Même qu'elle est toute ridée
comme une vieille pomme plissée.
Elle est sûrement vieille comme un dinosaure
puisqu'elle est née avant la radio, les autos et la télé.
C'est sûrement pour ça qu'elle a tout son temps pour rêver,
tout son temps pour me lire des histoires et m'écouter.
C'est sûrement pour ça surtout qu'elle m'attend
tous les dimanches et que j'ai si hâte, moi, Félix,
de me jeter dans ses bras pour l'embrasser.

révision

Rappelle-toi !

1 *Lis chaque phrase*
et explique ce que veut dire le mot souligné.

- Josèphe est malade ;
  elle a attrapé la <u>scarlatine</u>.

- Alfred glace des petits gâteaux
  avec une <u>spatule</u>.

- Marie-Philippe a gagné une <u>statuette</u>
  au tournoi d'échecs.

- Mathieu aime autant les <u>scarabées</u>
  que les araignées.

*Comment
as-tu fait
pour comprendre
le mot souligné ?*

J'ai deviné
le mot
d'après le sens
de la phrase.

J'ai trouvé
un mot connu
dans le mot.

J'ai cherché
le mot
dans le
dictionnaire.

2 **Mathieu et Marie-Philippe jouent à l'école.**
Classe par ordre alphabétique les prénoms de leurs élèves.

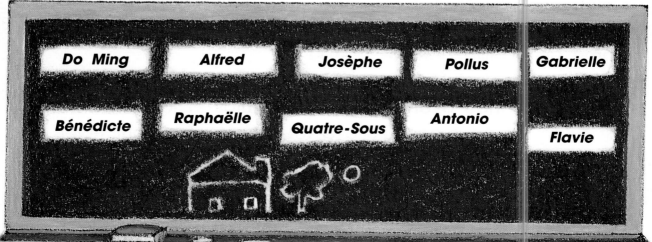

| Do Ming | Alfred | Josèphe | Pollus | Gabrielle |
| Bénédicte | Raphaëlle | Quatre-Sous | Antonio | Flavie |

Croâ ! croâ !...
Meuh ! meuh !...
Les amis de mon été

10

Do Ming fête papa

C'est l'anniversaire de Laurent.
Mireille et les jumeaux ont préparé un pique-nique.
Toute la famille va fêter dans le parc.

Flavie et Antonio partent en moto.
Camille et les jumeaux partent en vélo.
Laurent et Do Ming sont dans l'auto.
Mireille va à la recherche de Pollus.
Elle le trouve dans la cuisine.
— Pollus ! Pollus !
  Éloigne ton museau du gâteau !
  Le gâteau !... J'oubliais le gâteau !

Do Ming et les fleurs

Aussitôt arrivé au parc,
Do Ming court vers la plate-bande de bégonias.
Il arrache un plant et revient vers son papa.
— ... fête, papa ! ... fête, papa ! chante Do Ming.
Laurent prend Do Ming dans ses bras.
— Ce sont de belles fleurs, Do Ming.
    Mais si tu les arraches, elles vont mourir.
Ensemble, Laurent et Do Ming remettent en terre
le plant de bégonia.

Do Ming et les insectes

Do Ming s'amuse dans le carré de sable.
Une coccinelle se pose sur son nez.
Do Ming essaie de l'attraper, mais la coccinelle s'envole.
— ... fête, papa ! ... fête, papa !
Un gros insecte jaune et noir tourne autour de Do Ming.
Do Ming essaie de l'attraper.
— Non, non, Do Ming ! Ne touche pas !
    C'est un bourdon ! crie Mathieu.
— ... fête, papa ! ... fête, papa ! répond Do Ming.
Une chenille grimpe sur la jambe de Do Ming.
Do Ming prend la chenille dans sa main.
Il l'apporte à son papa.
— Doux... doux... fête, papa !

Do Ming et le gâteau

L'heure du goûter est arrivée.
Flavie et les jumeaux vont chercher le panier à pique-nique.
Surprise ! Qu'est-il arrivé au gâteau au chocolat ?
— ... fête, papa ! ... fête, papa !
   chante Do Ming.

La tête appuyée sur l'épaule de Laurent,
Do Ming dort. Il semble rêver.
Est-ce que Do Ming sourit à la coccinelle ?
Est-ce qu'il chasse le bourdon ?
Est-ce qu'il mange du gâteau au chocolat ?
On entend Do Ming qui marmonne :
— Doux... doux... fête, papa !

 *Raconte la journée de Do Ming.*

 Comment as-tu fait pour connaître rapidement le contenu de ce texte ?

Voici une chanson composée par Suzanne Pinel.
Lis les paroles de la chanson.
Essaie d'apprendre cette chanson par coeur.

Drôles d'animaux

Refrain

Ces choses-là n'existent pas.
Elles sont dans ma tête, je les imagine.
Ces choses-là n'existent pas.
C'est pour te faire rire que j'invente tout ça.

1 Jamais on n'a vu, jamais on ne verra
un éléphant avec une tête de paon.
Jamais on n'a vu, jamais on ne verra
un lion avec une tête d'ourson.

2 Jamais on n'a vu, jamais on ne verra
une grenouille avec des pattes d'autruche.
Jamais on n'a vu, jamais on ne verra
un écureuil avec des ailes de perruche.

3 Jamais on n'a vu, jamais on ne verra
un kangourou avec un cou de girafe.
Jamais on n'a vu, jamais on ne verra
un taureau avec des bosses de chameau.

1• *Dis ce que tu penses de cette chanson.*

2• *Copie le couplet que tu préfères et illustre-le.*

Des élèves de la classe d'Esther ont fait une recherche sur les animaux.
Lis le texte pour connaître les informations trouvées.

Mes amies les bêtes

De très petites bêtes

PHOLQUE

Mon araigné<u>e</u> préférée est le <u>pholque</u>.
Le pholque est une araignée inoffensive.
Il a un petit corps et de très longues pattes.
Il se nourrit d'insectes.

Le pholque tisse des toiles.
Les toiles du pholque sont collantes.
Elles servent de pièges pour capturer les <u>insectes</u>.

Mathieu

COLIBRI

Le colibri est le plus petit oiseau du monde.
Il ne peut pas marcher sur le sol.
Ses pattes sont trop courtes.
Le colibri bat des ailes très rapidement.
Il se déplace un peu comme un hélicoptère :
il est capable de voler à reculons, de côté,
ou de rester sur place.

Le colibri se nourrit du <u>nectar</u> des fleurs.
Il aspire ce nectar avec son bec mince et pointu.
Le colibri ne se pose jamais sur les fleurs.

Raphaëlle

De très grosses bêtes

RHINOCÉROS

Le rhinocéros blanc est le plus grand
mammifère terrestre, après l'éléphant.
Il pèse autant que deux grandes voitures.
Pour coucher un rhinocéros blanc d'Afrique
dans une chambre, il faudrait placer
deux grands lits bout à bout.

Le rhinocéros peut courir à une grande vitesse
et changer de direction en pleine course.
Le rhinocéros peut devenir agressif soudainement
et foncer sur tout sur ce qui bouge.

Alfred

BALEINE

La baleine bleue est le plus gros animal
de tous les temps.
Elle est aussi longue que deux autobus d'écoliers.
Elle pèse autant que vingt éléphants.
La baleine bleue s'alimente de plancton.

Je n'aurais pas assez de lait chez moi
pour nourrir un baleineau nouveau-né.
Chaque jour, il lui faut autant de lait
que pourraient contenir deux baignoires
remplies jusqu'au bord.

Bénédicte

Des animaux spéciaux

KOALA

Le <u>koala</u> <u>ressemble</u> à un ourson.
Comme le hibou, il dort le jour et <u>veille</u> la nuit.
Il passe sa vie au sommet des arbres.
Il ne descend presque jamais sur le sol.

Le koala se nourrit
d'une seule sorte d'arbre, l'<u>eucalyptus</u>.
Il mange seulement les bourgeons
et certaines <u>feuilles</u> de l'eucalyptus.
Le koala n'est pas <u>capricieux</u>,
mais son estomac est très délicat.

Josèphe

ORNITHORYNQUE

L'<u>ornithorynque</u> a une apparence <u>bizarre</u>.
Il a un bec de canard, un corps de loutre
et une queue de castor.
Des poils bruns recouvrent sa peau.
Les pattes de l'ornithorynque
ont cinq doigts
et elles sont <u>palmées</u>.
L'ornithorynque se nourrit de petits crabes,
d'<u>escargots</u>, de jeunes <u>grenouilles</u> et de petits poissons.

Gabrielle

Un animal disparu depuis longtemps

DIPLODOCUS

Mon dinosaure préféré est le diplodocus.
Le diplodocus est disparu depuis longtemps.

Le diplodocus était un animal de très grande taille.
Sa queue et son cou étaient très longs.
Sa tête était très petite
par rapport à son corps.
Le diplodocus se déplaçait
sur ses quatre pattes.

Le diplodocus était amphibie :
il vivait aussi bien dans l'eau que sur terre.
Le diplodocus était herbivore :
il se nourrissait d'herbes et de feuilles.

Marie-Philippe

Voici
des dinosaures
herbivores :

brontosaure

scolosaure

stégosaure

Voici
des dinosaures
carnivores :

cératosaure

gorgosaure

tyrannosaure

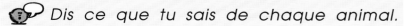 *Dis ce que tu sais de chaque animal.*

 Lis les mots soulignés.

Quels animaux verras-tu cet été?

Si tu vas dans les champs,
tu verras peut-être...
mouffettes dans l'herbe,
marmottes au soleil
et ratons laveurs gourmands.

Si tu vas à la ferme,
tu verras peut-être...
poules et dindons,
chèvres et cochons,
vaches et moutons.

Si tu vas en forêt,
tu verras peut-être...
chevreuils et lièvres,
renards et belettes,
ours et porcs-épics.

Si tu vas au zoo,
tu verras peut-être...
tigres et girafes,
panthères et guépards,
éléphants et serpents.

Si tu vas à la rivière,
tu verras peut-être...
<u>brochets</u> et écrevisses,
tétards et saumons,
truites et castors.

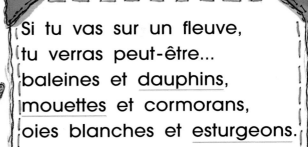

Si tu vas sur un fleuve,
tu verras peut-être...
baleines et <u>dauphins</u>,
<u>mouettes</u> et cormorans,
oies blanches et <u>esturgeons</u>.

Si tu vas au bord de la mer,
tu verras peut-être...
<u>crabes</u> et homards,
méduses et étoiles de mer,
thons et <u>espadons</u>.

Si tu vas en ville,
tu verras peut-être...

1 • *Dis ce que tu as appris de nouveau dans ce texte.*

2 • *Fais un tableau pour présenter les informations données dans ce texte.*

Lis les mots soulignés.

Des cris par-ci, des cris par-là...

1 Dans le bois, j'entends des voix.
C'est un chevreuil qui <u>brame</u>.
Ce n'est pas un <u>drame</u>.
Un renard <u>glapit</u>.
Vite, je <u>déguerpis</u>.

2 Près de l'étang, j'entends un bruissement.
C'est un crapaud moqueur.
Il siffle à son amie de coeur.
Elle répond d'un ton gentil
et coasse une mélodie.

3 Dans le buisson, j'entends des sons.
Une alouette turlute gaiement.
C'est le geai bleu qu'elle attend.
Il arrive enfin
et babille sur le chemin.

1• *Dis ce que tu penses de cette chanson.*

2• *Copie le couplet que tu préfères.*

 *Lis à voix haute les mots
qui sont soulignés de la même couleur.
Que remarques-tu ?*

Bonjour ! Je suis Superlux ! J'aide les enfants à penser.

Superlux pense à Rose-Lilas.
Il veut lui offrir un cadeau amusant.

Superlux s'est endormi. Il rêve...

Ôôôôh !
Mon dinosaure préféré !
Un diplodocus !

À Rose-Lilas
★ ★ ★

Mais où mon diplodocus va-t-il habiter ?

Suis-moi, Diplodocus !
J'ai une bonne idée.

Zut ! j'avais oublié !
Le diplodocus
est un herbivore !

...perlux se réveille en sursaut.

Ouf ! quel cauchemar !

Un vrai dinosaure,
c'est un cadeau
bien encombrant.

J'ai une bonne idée.

Un petit cadeau
fait autant plaisir
qu'un **GROS** cadeau.

119

Bonnes

Compose des histoires.
Superlux sera ton héros
ou ton héroïne.

Attention au feu !
Le feu, c'est dangereux.

Il y a des produits
qui sont dangereux.
Attention ! Ne les touche pas.

Prends soin de ton animal.
C'est un être vivant.

vacances!

Conduis ta bicyclette
avec prudence.
N'oublie pas
ton casque protecteur.

Écris une lettre à quelqu'un
pour lui faire plaisir.

Protège ton environnement.
Les fleurs et les arbres
sont tes amis.

Wouf! Wouf!

cui!

Miaou!

Au revoir, Superlux !

Le chat a disparu

Histoire
composée par Bernadette Renaud
et illustrée par Darcia Labrosse

Il était une fois
trois enfants, une dame et un chat.

Un certain *lundi*...
la dame dispute son chat.

Le *mardi*...
le chat a disparu !

Le *mercredi*...
les trois enfants décident
de mener une enquête
chacun de leur côté.

Qui trouvera le chat en premier ?

124

Comment liras-tu
ce drôle de texte ?

1 Choisis une couleur: ▬, ▬ ou ▬.
Lis l'histoire qui correspond
à la couleur que tu as choisie:

▬ histoire d'Adam,

▬ histoire de Charlotte,

▬ histoire d'Ali.

2 Choisis une autre couleur.
Lis l'histoire correspondante.

3 Lis la dernière histoire.

Ali soupire.
L'année passée, il a retrouvé son chien mort sur la route.
— Je suis certain que le chat a été frappé par une auto.

Charlotte s'énerve.
Elle raffole des enquêtes policières. Tout de suite, elle imagine le pire.
— Je suis certaine que le chat a été kidnappé.

Adam s'inquiète.
Il a vu la dame disputer le chat.
— Je suis certain que le chat est maltraité.

Ali court chercher une trousse
de premiers soins.
— Le chat est peut-être
seulement blessé, pense Ali.
Ali saute sur son vélo.
Au coin de la rue,
il y a un attroupement.
— Ça y est! Le chat est là!

Charlotte surveille le facteur
avec des jumelles.
— Les ravisseurs demanderont
sûrement une rançon!
pense Charlotte.
Soudain, un monstre horrible
surgit devant ses yeux.
— Aaiiiiie!

Adam rôde autour
de la maison de la dame.
Pour attirer le chat, Adam ouvre
un sachet de nourriture.
— Minou, minou, minou,
minou, minou...

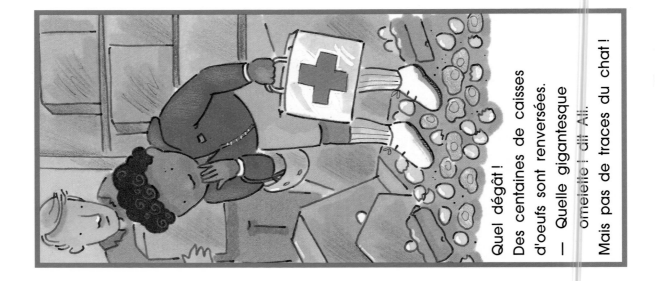

Quel dégât !
Des centaines de caisses
d'oeufs sont renversées.
— Quelle gigantesque
omelette ! dit Ali.
Mais pas de traces du chat !

Effrayée, Charlotte laisse tomber
ses jumelles.
— Mais... où est le **monstre** ?
dit Charlotte.
Charlotte éclate de rire.
Ce n'est qu'une araignée.

Adam entend aussitôt
un miaulement plaintif.
Sous le buisson, deux yeux
brillent dans l'ombre.
— Te voilà ! s'écrie Adam.
Excité, Adam échappe
le sachet de nourriture.

Un camion de la fourrière
s'arrête plus loin. Deux préposés
sortent en courant. Ali rejoint
le camion en deux coups
de pédalier.
— Attendez ! N'amenez pas
    le chat ! crie Ali.

Charlotte poursuit son enquête,
déguisée en détective **Fouine**.
— Ah ! ah ! des empreintes
    du chat ! dit Charlotte.
Excitée, Charlotte se penche
pour les examiner.
Son imperméable est trop long.
Elle trébuche.

Deux, cinq, treize chats...
Des chats affamés surgissent
de partout.
Ils se disputent la nourriture
à coups de griffes.

Un chien énorme bondit vers Ali en jappant et en montrant les crocs.

— Attention ! crie l'un des deux préposés.

Effrayé, Ali donne un coup de guidon. Trop tard...

Charlotte ne renonce pas à son enquête. Elle traverse un terrain à l'abandon. Elle cherche dans l'herbe d'autres traces du chat.

— Oh ! la jolie plante à trois feuilles, s'exclame Charlotte.

Effrayé, Adam recule. Mais voilà qu'une énorme bête noire et blanche surgit de dessous la galerie.

— Au secours ! crie Adam en se cachant le visage avec ses deux mains.

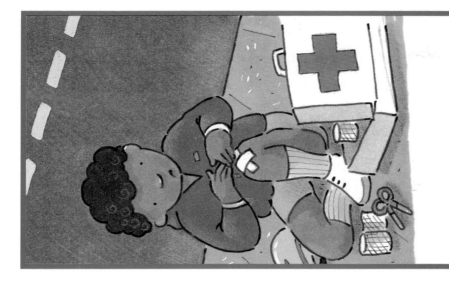

Cccritchhhh !
Le vélo d'Ali heurte la bordure
du trottoir. Ali tombe.
Pauvre Ali !
Il doit soigner son genou
écorché.
Mais toujours pas de chat !

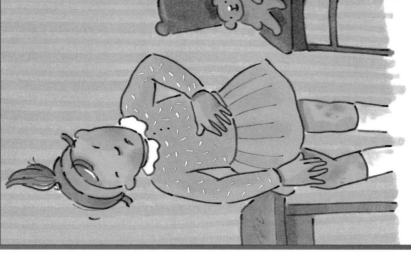

Ouille ! ouille !
La jolie plante était de l'herbe
à puce.
Pauvre Charlotte !
Elle doit endurer de vilaines
démangeaisons.
Mais toujours pas de chat !

Beurk !
Adam se fait arroser
par une mouffette.
Une mouffette encore plus
effrayée que lui.
Pauvre Adam !
Il doit se laver les cheveux
trois fois...
avec du jus de tomates !
Mais toujours pas de chat !

ATTENTION !

Lis les trois histoires
avant de lire la conclusion
à la page suivante.

Le *jeudi*...

Les enfants sont découragés.

Personne n'a trouvé le chat.

Les trois détectives retournent chez la dame.
Peut-être a-t-elle trouvé le chat ?
Mais voilà que la dame se dirige
vers la remise avec un plat.
Un plat de nourriture... pour chats !
Intrigués, les détectives la suivent sans bruit.
Chacun leur tour, ils se hissent à la fenêtre.
Chacun leur tour, ils ouvrent de grands yeux stupéfaits.
— Oh ! moi qui le croyais maltraité ! dit Adam.
— Oh ! moi qui le croyais kidnappé ! dit Charlotte.
— Oh ! moi qui le croyais blessé ! dit Ali.
Ils foncent dans la remise en riant.

Le chat est retrouvé.

Le chat est plutôt une chatte...
avec ses trois nouveau-nés !
La dame rit à son tour.
— J'ai enfin découvert pourquoi ma chatte s'était sauvée.
Elle ne voulait pas du panier douillet
que je lui avais préparé
pour la naissance de ses chatons.

Histoire
composée par Bernadette Renaud
et illustrée par Darcia Labrosse
spécialement pour le livre EN TÊTE 2

aille

il trav**aille**

ain
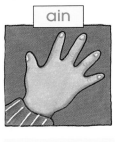
m**ain**

am

t**am**bour

and

Fern**and**

ant

éléph**ant**

bl

bleu

cl

classe

eille

Mir**eille**

ein
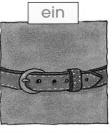
c**ein**ture

el

Gabri**el**le

em

elle **em**brasse

ent

Laur**ent**

er

Sup**er**lux

es

Esther

et

perroqu**et**

euille

f**euille**

fl

fleur

gl

glace

gn	ien	ier
montagne	chien	pommier

ieu	ille	im
Mathieu	Camille	imperméable

ion	k	oeu	oin
avion	kangourou	oeuf	poing

om	ouille	ph	pl
pompier	citrouille	Marie-Philippe	pluie

th	w	x	z
Mathieu	kiwi	taxi	zèbre

ILLUSTRATIONS

Doris Barrette, p. 8-9, 37-39, 82-85

Marie-France Beauchemin, p. 116

Diane Blais, p. 12-13, 20, 23, 26-27, 28-29, 34-35, 36, 40, 50-52,
56-57, 62, 78-79, 80-81, 86, 91-93, 117-119, 120, 122, 136-137

Josée Dombrowski, p. 25, 71, 72-73, 98-99

Élizabeth Eudes-Pascal, p. 30-31, 76-77, 101-103

Chantal Gauthier, p. 5, 7, 16, 109, 120-121

Darcia Labrosse, p. 123-134

Benoît Laverdière, p. 94-95

Claire Lemieux, p. 17-19, 46-47, 48-49, 59-61, 86, 104

Philippe Lemieux-Miller, p. 110-113

Marisol Sarrazin, p. I, II, 1, 2-4, 14-15, 20, 21, 22-24, 28-29, 41, 42-45,
62, 63, 64-66, 70, 86, 87, 88-90, 105, 106-108, 120-121, 122, 136-137

François Thisdale, p. 36, 58, 64, 74-75, 97, 114-115

Gilles Tibo, p. 100

BRICOLAGE

Diane Blais, p. 28-29, 36 (*château de glace*), 56-57, 80-81

PHOTOGRAPHIES

Gaston Bourque, p. 36 (*château de sable*)

Marcel Boutin, p. 77

Claude Bureau et Associées inc., p. 5-7, 27, 56-57, 120-121

Luc A. Couturier, p. 32 (*photos **A** et **C***)

Carnaval de Québec, p. 32 (*photos **B** et **D***)

Christian Desjardins, p. 33

Louis Drapeau, p. 68-69

Daniel Fortin, p. 96 (*photo **E***)

Jardin botanique de Montréal, p. 96 (*photos **F** et **G***)

Claire Lemieux, p. 113

André Morneau, p. 28-29, 36 (*château de glace*), 80-81

Alain Ouellette, p. 10-11

Steve Tremblay, p. 53-55

NOUS REMERCIONS DE LEUR COLLABORATION :

DIANE LAMY, Société de l'assurance automobile du Québec

Les élèves de l'école du Beau-Séjour, Saint-Émile, en classe de neige
à l'Auberge du Mont, à Saint-Gabriel-de-Valcartier (p. 5-7)

ALAIN OUELLETTE et ses élèves, école Satuumavik, Kangiqsualujjuaq
(p. 10-11)

JULIANNA ANNAHATAK (p. 10)

SILAS BARON (p. 11)

NOËL CHAMPAGNE, Fondation Mira (p. 17-19)

RICHARD ANGELORO, école St. Lawrence, Brossard (p. 26)

CHARLES LOISELLE, école Joseph-Paquin, Charlesbourg (p. 27)

HUGUETTE GRONDIN, Carnaval de Québec (p. 32)

GASTON BOURQUE, commission scolaire des Îles (p. 33)

Le personnel et les élèves de l'école Saint-Pierre, Alma (p. 53-55)

SPA de l'Estrie et Linéart Communication inc. (p. 67)

SABRINA DUQUETTE-RANCOURT (p. 68-69)

ANNIE BÉLIVEAU et YVON BÉLIVEAU (p. 68-69)

LOUISE GAGNON, Miaouf Adoption (p. 70)

JEAN ST-GERMAIN (p. 76-77)

MARIE-PIER BOUTIN (p. 77)